天下雜誌
觀念領先

天下財經系列 023

三千億傳奇

# 郭台銘的鴻海帝國

張戌誼、張殿文、盧智芳等　著

# 推薦序
# 鴻海傳奇，是台灣經濟奇蹟最成功的範例

二十年前我就認識郭台銘董事長，二十年後，果然如我所預見的，郭董的夢想都一一實現了。

郭董的成功，實在有賴於他個人超強的企圖心、遠大的使命感，以及堅忍不拔的毅力，使之終於能成為台灣生產業的龍頭，也成為繼王永慶之後的企業經營之神。

郭董的成功經驗，對於新一代年輕的創業家，著實是一個很好的啓發。

廣達電腦董事長　林百里

## 推薦序

# 資訊電子業的成功典範

宣明智

成立於一九七四年的鴻海精密工業股份有限公司，董事長郭台銘當時以台幣三十萬元投資於生產黑白電視機用之旋鈕，初期營業額年僅百餘萬元。一九八一年鴻海成功開發連接器產品，才正式進入此一領域。但不管是旋鈕或連接器，郭董事長早已觀察到，生產的模具開得好不好，直接影響到旋鈕或連接器的品質。而且這些模具廠都是黑手師傅經營，景氣一好，學徒就出去自立門戶，人才流動快，品質、交期都不穩定。顯然八〇年代的這些中小企業模具廠，都是靠經驗而不是知識做事，只能從錯誤中學習，致進步緩慢、不足為恃。

### 堅持深耕技術

年輕的郭董事長認識到公司未來要繼續成長，應堅持技術深耕，將技術牢牢掌握在自己手中。此一理想在他的努力下，歷經十餘年的蓽路藍縷、胼手胝足，始建立鴻海成為全球首屈一指的連接器龍頭大廠。然後再逐步跨入機殼、轉戰電腦Barebone準系統等高科技新領域，一個嶄新、成功的鴻海王國正逐步成形。

近十年來，鴻海營業額的每年複合成長率超過五一%，去年（二〇〇一年）鴻海全球員工五萬人，以新台幣一千五百億元榮登台灣第一大民營製造業寶座，比二〇〇〇年成長六三%，處此不景氣的大環境，業界多數公司陷入泥淖之時，該公司業績卻能逆勢上漲，表現傑出，殊屬不易，令人尊敬。

## 善用優勢

鴻海的成功係利用技術與客户關係的優勢，快速進行多角化，同時提供顧客整體採購（Total Solution）的服務。鴻海強烈希望成為世界一流企業，有「長期、穩定、科技、發展、國際」的明確願景，以三大主軸策略進行全球布局。

（一）即時上市（Time to market）：在全球重要客户附近，設立研究發展、工程測試、快速樣品製作的機制，與客户同步開發新產品，使產品儘速量產上市，獲取較高的毛利。

舉例而言，英特爾（Intel）推出新一代微處理機器（CPU）時，鴻海會立即與之共同開發新一代匹配CPU的連接器（一地設計），然後英特爾會指定優良的主機板廠商做測試，加速新產品的推廣。鴻海也建立全球二十四小時遠程互動設計的能力，即透過其全球資訊網路，美國西岸工程單位下班後，可由台灣或大陸繼續以接力賽完成設計，甚至完成樣品實體！

（二）即時量產（Time to volume）：鴻海在四年內，為了就近接單、服務客戶，已布建好橫跨北美、亞洲、拉丁美洲、歐洲的製造基地，建立採購、製造、工程、品管等能力，並可以依照客戶訂單，迅速擴充產能，滿足客戶需求。各種物料、零件、半成品、成品只要停留在公司超過十五分鐘以上者，都需要有嚴格倉儲資訊控管。

由於鴻海有這麼優秀的運作體制，因此幾乎所有一流的國際廠商如蘋果、康柏、戴爾、思科、諾基亞、日本Sony等，都是鴻海重要的策略客戶。

（三）即時變現（Time to money）：要求客戶開出信用狀後才生產，避免客戶誇大其產量需求預估，增加公司投資，等到景氣下滑時，卻造成公司過多空餘產能的窘境。另外，客戶開出信用狀亦有助於貨款的加速兌現與回收。

至於一般高科技公司所注重的人才培育，尤其國際化的經營幹才，郭董事長更是不遺餘力地耕耘、栽培。而建立專利防護網，以申請專利鞏固公司的技術、智慧資本，使鴻海近幾年在專利取得名列台灣前三名，別樹一幟。

## 促成連鎖互動

鴻海是台灣近二十年來資訊電子業界成功的典範，外資推薦鴻海的原因是成本優勢、布局完整、作風穩健，讓投資人放心。贏得此一傲人成績的主因，除了鴻海郭董事長的遠見與持續的努力外，台灣豐沛的工程人力，與適合快速環境變遷下的產品創新能力，都至為重要。

鴻海讓台灣在供應鏈上與世界接軌，同時迫使國內廠商的技術人員汲汲於創新研發，生產人員努力於產品製造與品質提升，台灣資訊業界更率先以運籌管理來縮短生產週期。這些連鎖的互動，正是支撐台灣資訊產業快速成長的主因，對鴻海霸業的促成亦居功厥偉。

## 視工作為享受

認識郭董事長這麼多年，他始終視工作為一種享受，喜歡挑戰困難，面對困難就愈有鬥志，知道「挑戰困難的報酬是：每過一關，自己就有更佳的實力」。他的工作幹勁與求新求變的學習精神都值得業界與後進學者學習。他的企業文化崇本務實、賞罰分明，喜愛練技術基本功、善巧於精確再精確的９９９哲學……其今日的成功實有以致之。市場上也許不乏與他策略看法雷同者，但能將策略與執行同時做得如此傑出的人卻鳳毛麟角。

在我看來，他最成功的地方是：

（一）能夠帶一群科技人，迅速擴張全球版圖的執行能力。

（二）敏銳的趨勢判讀能力，推動ＣＭＭ（Component Module Move）代工模式，舉例言，多年前他就認為當電腦的整合愈快速時，主機板設計愈來愈簡單，組合電腦只剩下幾個重要零件，那時的PC就不是電子業而是機械業了，到那時，以鴻海的模具、機械基礎，客户就會自動找上門來。

（三）在過去二十八年，幾乎無政府的獎勵與奧援下，能在台灣惡劣的中小企業環境中（詳見第二章），成功由傳統轉型至高科技產業，而且以飛速的成功績效傲視全球，相當不容易！

## 經驗的傳承

他的名言充滿人生智慧，發人深省。

例如：「走出實驗室就沒有高科技，只有執行的紀律」、「人生分三個階段來看，二十五歲到四十五歲是為賺錢做事；四十五歲到六十五歲，是為理想做事；六十五歲退休以後，是為自己的興趣做事」、「我的信心源自於努力與經驗。所謂信心是，無論景氣再壞，都要相信自己有能力」。

未來五年，郭董事長將挑戰年營業額七千億台幣的目標，繼續擴建其在歐洲的生產基地捷克布拉格，以因應產業結構重新分工，低利潤時代的來臨。我們預祝他勝利成功，更樂見他的理想早日實現，使「製造的鴻海」成功轉型為「科技的鴻海」！

素仰郭董事長經營企業極為傑出，爰為新書付梓發行伊始，特誌數語，並預祝產業界人士、莘莘學子能因此受益。未來，我們也樂見更多業界先進能不斷著書立說，將經驗傳承注入台灣資訊電子工業，使此一產業磐碁永固，我國邁向科技島也因此更進一步。

（本文作者為聯華電子執行長）

# 推薦序
# 平凡人創不凡事業

程天縱

第一次見到郭台銘，是一九八六年初受邀至鴻海土城廠演講。當時鴻海的年營業額才三億台幣，主要產品是連接器。在那之前，我對鴻海並沒有多大的了解。演講結束之後，我對當時三十出頭、精力充沛且有著旺盛企圖心的創業家倒是印象深刻。

也許是我的演講啓發了郭台銘，我又接連幾次為鴻海的核心幹部做了企業經營管理的演講。講課之餘，免不了與郭台銘討論鴻海未來發展的方向與核心競爭力的建立。天南地北閒聊之間，發現我們之間有許多共同點。

## 血汗及淚水開闢的創業路

同為台灣出生的外省子弟第二代，郭台銘比我大兩歲，父親都服務於警界，家境清苦。同為排行中的老大，從小就多了份責任感及養家的壓力。有趣的是我們都選擇了「Terry」為英文名字。有回在郭台銘美國加州家中後院的游泳池邊討論鴻海的策略，意外發現，兩人的右腳內側、幾乎在同一個位置上，都有因受傷留下、看似相同的傷疤。

除了出身背景相似之外，郭台銘和我，其實是走了兩條完全不同的生涯道路。我進入著名跨國公司惠普，一心一意希望成為一個專業經理人。惠普的環境及教育培訓，除了提供我做為一個成功的專業經理人所需的各種經營管理養成教育之外，惠普高層對我的信任與授權，給了我極大的空間與自主權來滿足我創業的欲望。在惠普的十九年期間，我為惠普與合作夥伴創立了十一家企業及組織。我稱這些成果為「企業內創業」。

郭台銘於一九七四年創立鴻海。從三十萬台幣的資本額到今天將鴻海帶到市值近三千億台幣的規模。他選擇了一條創業家的路。郭台銘的創業之路迥然不同於我所選擇的專業經理人及企業內創業之路。

在跨國公司裏進行企業內創業，有著大公司內部的各種豐富資源支持。只要定下公司方向、完整的策略規劃、穩定的商業模式及未來五年的財務計劃，我不必去擔心資金調度、政府干預、專利侵權、法律層面等細節。不論是惠普或是我現在任職的德州儀器，內部都有足夠的專家及豐沛的資源處理這些周邊事務。更重要的一點是，做為一個專業經理人，我只負責策略規劃及企業內創業；未來的企業經營，自有其他的專業經理人執行，成敗與否，不需要負直接的責任。

郭台銘的鴻海創業之路卻是一條用血淚及汗水開闢出來的路。鴻海帝國的創立及成功歷史，本書有相當完盡的敘述，我在此不多著墨。

## 創業家的心路歷程

由於不同的選擇，郭台銘的鴻海創業之路，在我們初識之時就深深吸引我。雖然當時鴻海的年營業額才三億台幣，在我的直覺中，鴻海有朝一日會飛黃騰達。因此在郭台銘與我交往期間，他正如一塊海棉，不斷吸收我的專業經理人經驗，我也透過相互的討論與接觸，一探創業家的殿堂與心路歷程。

我與郭台銘某次的對話，適足以反映我們所走的不同路程，以及達到目的地所需的不同條件。

我問：「你有沒有上過面試技巧的課？你如何決定聘用一個人？」

郭答：「沒有。我對人有直覺。」

我問：「你有沒有上過時間管理的課？你怎樣安排你的行程？」

郭答：「沒有。我的行程隨著需要而走。」

我問：「你有沒有學過經營管理及領導統御的課？」

郭答：「沒有。」

我問：「那麼你怎樣管理鴻海？」

郭反問：「如果有小混混到公司來要保護費，你怎麼辦？」

我說：「從來沒想過，不知道怎麼處理，也許去報警吧！」

郭問：「如果員工在工廠的生產線上打架，你怎麼辦？」

我說：「不知道……」

郭問：「如果你們客戶賴帳，貨交了卻收不到錢怎麼辦？」

我說：「不知道，我們法務部門會告他們吧！」

郭問：「如果公司的支票到期，而銀行存款不足，你會跑三點半嗎？」

我說：「不會。」

郭問：「那麼你身為一個總經理，公司是怎麼經營管理的？」

郭台銘經常提起，我對鴻海的發展與成功也做了貢獻。所以雖然有了以上的對話，也不代表專業經理人只是大公司的御用工具，對中小企業就毫無用處。許多人也都好奇，我身為一個大公司的專業經理人，如何對一家年營業額才三億台幣的中小企業做出貢獻。

## 關鍵時刻的策略規劃

一九八五年，惠普為台塑集團引進個人電腦板的技術，成立了南亞錦興廠。為了將錦興廠自動化經驗傳授給台灣的電子業，台塑及惠普決定以錦興廠的自動化小組為班底成立合資公司——惠台。當時我以惠普協理的身分擔任惠台的總經理。我將惠台定位為一家電子業策略規劃顧問公司，由我規劃了一套兩天密集的策略規劃研討會，參加者包含公司的領導層，如董事長、副董事長、總經理及最高職能經理，包含製造、研發、工程、財務、人事等一級主管。

在兩天閉門密集會議中，我身為策略規劃顧問，帶領整個企業經營團隊，討論企業的使命、目標、策略，以及未來五年的計劃。當時惠台的客户主要是以電子業為主，如台達、聲寶、三光等。以連接器產品為主的精密零件中小企業鴻海，在一九八七年正發展到一個決策的關鍵時刻。郭台銘決定請我為鴻海主持一個兩天的競爭策略規劃研討會。在某個週末集合公司最高層的幹部，進行兩天密集的討論，訂下鴻海的使命、目標、策略，以及第一個五年計劃。

正如本書所述，郭台銘非常重視技術開發及專利保護，因此鴻海的核心競爭力正是精密模具的開發技術與專利。當公司營業額達到三億台幣時，電腦連接器只是鴻海產品的一部分。由於自身擁有精密模具的開發技術，鴻海面臨許多新的市場機會，如照相機、家電、機械工具，甚至化妝品所需的精密零件。而且個人電腦業在八〇年代正在啓蒙發芽的階段，也難料到會成為九〇年代成長最快速的高科技產品。

因此在兩天的策略規劃會議中，郭台銘與他的經營管理團隊，用大量的時間反覆討論鴻海未來五年的方向。最後決定專注在個人電腦業的連接器，主攻最大的世界級電腦客户，定下要在五年內成為世界第一大電腦連接器製造供應商的目標，並寫下鴻海未來數十年的使命，製刻成牌，放在郭台銘的辦公室內。

## 沒有走錯第一步

根據我兩天的觀察，這樣的結論與郭台銘對產業的了解和對市場趨勢的掌握有密不可分的關係。從今天鴻海的發展看來，當時的決定是個極重要的關鍵。從個人電腦連接器切入電腦機殼，創造出獨一無二的CMM（Component Module Move，零組件模組動態）模式；接著進一步跨入通訊網路及遊戲機。當初的第一步如果走錯，是否會有今天的鴻海帝國？

雖然與郭台銘已認識十多年，但因彼此都專注於工作，許許多多郭台銘創業的小故事，倒是未曾聽他提起過。讀完本書之後，我對郭台銘有更深的認識，對他的敬意也加深幾分。這本書記錄了鴻海創立及發展的歷史，也描述了這個大時代中，一個平凡人如何創造一個不平凡的事業，可做為創業家及經理人最值得參考與學習的經典之作。

（本文作者為德州儀器亞洲區總裁）

# 推薦序
# 台灣世界級企業的故事

石滋宜

郭台銘董事長喜歡這樣比喻自己的格局：「阿里山的神木之所以大，四千年前種子掉到土裡時就決定了，絕對不是四千年後才知道。」

我所認識的郭台銘董事長，他總顯現出嚴以律己、克勤克儉的本性。在本書中也談到，在鴻海的日子，他每天工作超過十五個小時，甚至只有過年才有時間生病。這點跟我頗為相似，回台灣服務這二十多年來，我每天工作時數亦超過十五小時，而生病的時間，也只有在回加拿大與家人相聚時。

## 生命必備的毅力

兩週前，我預定回加拿大，出發前一天突然感到身體不適。這種病痛的感覺非常熟悉，因為過去幾乎每六年我就會因為支氣管炎引發重感冒，所以我一度打消回加拿大的念頭。但是想到我一年僅回去兩、三次，跟家人總是聚少離多，實在不忍心讓他們的期盼落空。

回加拿大旅程長達四十小時，全程我發高燒、冒冷汗、咳嗽不停，到達後我立刻就醫，之後幾乎昏睡了過去。這種感覺就像徘徊於鬼門關之前。我夢到已辭世的母親，她跟我說，我待在她的子宮時，她即給了我人性最重要的東西——生命必備的毅力，她要我勇敢堅持下去。這也不由得讓我想起郭董事長比喻自己格局的這段話。

郭台銘董事長邀請我為本書寫推薦序，邀請函上寫了這段話：「天下雜誌出版社請郭董事長推薦撰寫序言之專家人士共襄盛舉，以為此書收畫龍點睛之效。經郭董事長考慮再三，認為無論從對於鴻海經營理念、發展歷程及郭董事長為人處事的了解而言，您均為最適合的人選，擬邀請您撰寫此序言。」

我收到這封信後深受感動。我與郭董事長認識已有二十多年，這期間我們僅有公務上的往來，從來不曾一起吃過便飯。但他在我（因公）需要幫忙時，總是傾囊相助；而我在他（鴻海）需要幫忙時，也竭盡所能、全力以赴。我想我們能成為好朋友，是因為我們有太多相通之處。

## 專注核心領域

一九八二年我回台灣主持自動化服務團，一九八三年與台銘兄相識，當時他還是三十多歲的青年，但是已具有相當敏銳的前瞻性。猶記一九八八年我在生產力中心推動品質月運動，我請求他贊助這樣有意義的運動，他二話不說，立即同意捐助台幣五百萬元。這個數字對於當時的鴻海來說，絕對是個天文數字，但是他認為唯有不斷提升品質，台灣商品才有機會立足於世界，所以這樣的捐助格外有價值。

十多年前郭董事長邀請我到鴻海（土城）演講。我以自動化與品質為題，演講完，郭董事長隨即上台，在全體員工面前邀請我成為鴻海的顧問，並為我夾上純金的鴻海領帶夾。我跟他說，我在自動化服務團工作，就是台灣每家企業的顧問，鴻海有需要我的地方，我一定盡力而為。

我認識郭董事長時，鴻海專營電腦周邊的連接器。我曾告訴他，要把製作模具技術變為世界第一，因為模具才是真正競爭力之所在，也就是所謂的核心專長，這是鴻海最寶貴的技術資產。他告訴我，他有雄心要讓鴻海成為世界第一。我常說：「不繼續本行，又不脱離本行。」鴻海的成功也就應驗了這句話，鴻海確實是專注於自己的核心領域。

## 熱血團隊

有人批評郭董事長行事霸道、言談霸氣。我認為這不是霸道、霸氣，因為他不是自滿，而是擁有自信。他務實、勤儉，對於事情具有追根究底的精神，這跟台塑的王永慶董事長非常相似。他是位嚴格（Rigorous），但絕不是冷酷（Ruthless）的領導者，這樣的人格很難找到特質類似者。

也有人說，軍事化管理是鴻海給外界的感覺，但我認為這是不了解鴻海人的錯誤印象。軍隊是冷血團隊，相反的，鴻海是一個熱血團隊（Hot Group），而大家看到的鴻海具有軍隊化的紀律，以及精準的執行力。

一個企業的文化就建立在正確價值觀與高度嚴謹規範（Norms）上。價值觀是一群人堅信的共同目標、信仰、理想和目的，規範則是塑造永遠影響那一群人合乎價值觀的行為和態度。

郭董事長堅持掌握技術，絕對不做外行的事，只做他可以完全掌握的事，因此鴻海能在短短的幾年之間，從一家沒沒無聞的小企業，搖身一變成為世界級大企業。這是因為鴻海建立了絕對的「信賴」，對員工、顧客、投資者，以及策略夥伴（Stakeholder）等。

前奇異（GE）公司總裁傑克・威爾許（Jack Welch）曾說：「信賴在企業中具龐大無比的力量，除非員工被公平的對待，否則員工不可能盡其全力，為企業賣力。」這就是因為郭董事長的行事，一向是嚴以律己、身先士卒，說到自己即先做到。

## 熱愛工作、享受工作

郭董事長好學、熱忱（Passion），而熱忱是引發創造力的動能，所以他帶領鴻海不斷求新求變。就如，過去在德州儀器工作達二十五年，現在服務於鴻海的一位幹部說，他感受到跟隨郭董事長做事，他永遠都學不完（請見本書第六章）。

這是為什麼？外面的人看鴻海團隊，認為鴻海的人都有工作狂，但「工作狂」並不足以形容，根本原因在於他們熱愛工作，懂得享受工作的真義，這全是受郭董事長的熱忱所帶動。

過去我在北美奇異公司工作，也帶了一群被稱為工作狂的團隊。回到台灣後，不管是在自動化服務團或中國生產力中心（CPC），同樣常有人用工作狂來形容我們，甚至有老美的工程師來台和CPC的同仁一起工作後問我：CPC代表什麼？我說是「China Productivity Center」。但是他們說：不！不！CPC代表Craze People Center（狂人中心）。因為老美看到CPC同仁的熱忱：可以整夜不睡覺，完成他們認為不可能完成的任務。

寫序之前，我反覆將本書看了三遍，裡面闡述了郭董事長經營鴻海，從徒手創業到爭霸全球的故事。

郭董事長具有遠見，他的遠見來自於前瞻（Foresight）、大格局與無私，並擁有敏銳的洞察力（Inside）。他強調：「企業經營者要有選擇、判斷、決策。我有六選：選客户、選產品、選人才、選技術、選股東，以及選擇策略夥伴。」除此，我認為郭董事長的思維模式，本身就是企業的戰略。

## 給與鴻海最好的資產

最後，我想以好朋友的立場，奉勸台銘兄三件事情。

第一、郭董事長想把製造的鴻海轉變為科技的鴻海，這需要很長一段播種時間。我認為鴻海必須朝奈米科技（Nano Technology）邁進，包括奈米材料的製造、組裝、應用等。這些都需要「人、財」，科技不是現在延伸的科技，而是另一個新思維的科技。

第二、我不贊同郭董事長一再強調希望在五十八歲退休；雖然他說產業變動太大、太快，更需要年輕拚闖的體力。但是人類計算年齡的方式是錯誤的。《真實年齡》（Real Age）這本書中說明，只要保持良好的生理與心理狀況，人類可以比實際年齡年輕二十六歲。對此我深信不疑。

我認為，郭董事長現在生理與心理狀況皆處高峰，這代表他根本不比任何年輕人差，而他的歷練卻絕對是年輕人沒有的。試想，全世界沒有一家企業，在最優秀（Great）的領導者（CEO）退休後更為蓬勃發展的，包括奇異、松下、英特爾等。希望郭董事長不要有退休的念頭，應該繼續將心力投入鴻海，讓鴻海的基礎更為扎實，這才是郭董事長給與（Give）鴻海最好的資產。

## 跟自己競爭，與同業合作

第三、鼓勵鴻海同仁創業。郭董事長說他退休之後要「為興趣做事」，例如指導中小企業創業者，在事業成長過程中穩健經營。我認為，台灣中小企業素質良莠不齊，並非憑藉一份力量就能輕易改變，郭董事長更應該將這份力量放在鼓勵鴻海同仁創業。因為鴻海已經塑造出特殊企業文化，每位鴻海人長久受到「好」的企業文化薰陶與影響，如果有機會創業，成功機會將更大。

郭台銘董事長說「在我的領域，沒有競爭對手」，這句話和我常說的「跟自己競爭，與同業合作」不謀而合。我祝福鴻海與郭董事長，未來最大的競爭對手只有自己。

我認為企業最高的經營原則是真、愛、美，其中最重要的就是「愛」。本書記錄了郭董事長真心對待員工的真情，這些故事都令人感動，值得讀者細細品味。它也是一本記錄台灣世界級企業的故事，是本非常難得的書，我樂意推薦給所有讀者閱讀、學習。也盼望藉由本書，能為華人企業培育出更多世界級的企業家。而對於希望享受人生最高境界者，本書也絕對是值得一讀的好書。

（本文作者為全球華人競爭力基金會董事長）

# 目錄


## 推薦序

台灣經濟奇蹟最成功的範例　林百里　3
資訊電子業的成功典範　宣明智　4
平凡人創不凡事業　程天縱　10
台灣世界級企業的故事　石滋宜　16

## 第一部　特寫郭台銘

第一章　奮力飛行的孤雁　張戌誼、張殿文　25
第二章　餓的人，腦筋特別清楚　張戌誼、張殿文　53

第三章 在我的領域，沒有競爭對手 吳琬瑜、盧智芳 77

## 第二部 徒手創業

第四章 悍鬥鴻海霸圖 盧智芳 91
第五章 小零件攻第一 盧智芳 113
第六章 軍事化管理打贏商場硬仗 高科技業的現代蘇武 盧智芳、張殿文 121

目錄


## 第三部　爭霸全球

第七章　要做就做世界級　張戌誼、張殿文　137

第八章　在全球與客戶共舞　張殿文　157

第九章　進軍歐洲的心臟　為什麼選捷克？　張殿文　181

第十章　外資看鴻海　張殿文　205

後記　站在製造業巨人的肩膀　張殿文　216

附錄　文章來源　220

# 特寫郭台銘

# 第一部

# 第一章 奮力飛行的孤雁

張戌誼、張殿文

從最早期生產黑白電視機用的旋鈕，
到如今成為連結器世界級龍頭大廠，
從徒手創業到爭霸全球，
郭台銘如何開啓這一頁傳奇？

清晨六點，鴻海深圳龍華廠區。鴻海企業集團總裁郭台銘跳進廠區內的泳池裡，濺起一陣水花。

來回游完八百公尺，他才從水裡起身。有時他和一起晨泳的一級主管，乾脆就在池畔直接談起來，開始一天緊湊的工作行程，毫不浪費時間。

每天至少奮戰十五個小時，郭台銘忙起來就只喝水、吃祕書準備的水果，稱得上是「工作狂」。

從二十七年前用母親標會來的十萬元創業，到今天將鴻海精密帶到市值近三千億新台幣的規模，難道他就是這樣日復一日、永無休止地追逐每一個賺錢的計劃嗎？

## 台灣科技首富

其實郭台銘已經夠有錢了。根據二〇〇一年六月中《富比士》

（*Forbes*）「全球億萬富翁排行榜」，他的身價二十三億美元，排名全球第一百九十八，也是台灣入榜的四位富豪中，唯一排名較二〇〇〇年不跌反升的。

台灣媒體界更直接稱他為「科技首富」。根據《富比士》的調查，入榜的四位富豪中，郭台銘的身價僅次於國泰霖園集團蔡氏家族三十八億美元、台塑集團王永慶二十七億等傳統產業老大，成為台灣高科技富豪之最。

「其實我不見得是最有錢，只是最不懂節稅而已，」郭台銘苦笑地說，對於個人身價的估算，他不想多

### 郭台銘小檔案

現任：鴻海企業集團總裁
　　　鴻海精密工業公司董事長
年齡：52歲（1950年生）
學歷：中國海專畢業

■ 2000年10月入圍《天下》雜誌「企業家最佩服的企業家」

■ 2001年6月美國《富比士》（*Forbes*）「全球億萬富豪」排行榜第198名

著墨。

二十三億美元身價的科技首富，卻出奇地節儉。從郭台銘辦公室，就能看出他務實的個性：鐵製的折疊椅從員工餐廳搬來，後背還印了「餐廳」兩個字；給客人坐的沙發，郭台銘得意地透露：「長沙街買的，一千五百塊錢一張！」「我一個星期的零用錢，都在這個信封裡！」郭台銘從聯電贈送的帆布公事包裡拿出一個舊信封，裡面放了一萬元台幣現金，是祕書爲他準備的。但最近打球贏了錢，所以這封零用金過了兩週尚未拆封。

## 對物質享受沒有興趣

他的節儉，是務實，也是低調。他的務實低調令人印象深刻：忙到沒時間理髮的他，在前往下一個行程的途中，請司機彎進台北市信義路巷弄裡，在一家老舊的「家庭理髮」前停了下來，十五分鐘之

（邱如仁攝）

■郭台銘的辦公室，擺設簡樸，很難想像這就是征戰全球的科技霸主運籌帷幄之處。

內，頭髮已理好，只花了新台幣兩百五十元。為他服務多年的店內「歐巴桑」，也並不知道這個乖乖俯身沖頭髮的人，竟是掌握數萬人大軍揮戰全球的科技霸主。

對郭台銘好奇的人都想知道：他是不是一個只知道拚命賺錢、不會花錢的人？『摳』，也要看是『摳』自己，還是『摳』別人啊！」郭台銘反駁，他的物質欲望很低，但是對自己小器，不表示對別人小器。

事實上，鴻海二〇〇〇年宣布三十億美元的「鳳凰計劃」，就曾開出千萬年薪條件尋找光通訊人才，震撼高科技界。另外，高單價的精密設備（在光通訊的測量設備上，一部都在上億台幣），他一口氣就買了七、八部。

但他不喜歡曝光，更不喜歡和媒體打交道。二〇〇〇年《富比士》「全球富豪排名」的資料上，對他的評語就是：「Super-low-profile chairman and founder of Honhai Precision（超級低調的鴻海精密總裁暨創辦人）。」每年，也照例只有在鴻海的股東會上，國內外法人投資機構的分析師和媒體記者，才能親身感受郭台銘的雄心和精力。

既不喜歡花錢享受，又不喜歡出名，郭台銘這麼拚命是爲什麼？「我不會把錢花在個人享受的領域，例如貴重的物品、個人享用我的人生哲學分為三個階段：
二十五歲到四十五歲，做事是為了賺錢、生存；
四十五歲到六十五歲為理想而工作；
六十五歲後，為興趣做事。

的器物之類；我比較有興趣把錢花在爲大眾的領域，爲弱勢團體做些有意義的事情，」郭台銘一再強調。

## 連續十年跳躍性成長

郭台銘自剖，他的人生哲學分爲三個階段：二十五歲到四十五歲階段的他，做事是爲了賺錢、生存，因爲賺錢才可以掌握支配金錢的權力，實現理想；四十五歲到六十五歲爲理想而工作；六十五歲後，就會爲興趣做事。他透露，因產業變動太快、太大，更需要年輕拚闖的體力，退休時間將可能從六十五歲提前到五十六歲。屆時，他會「爲興趣做事」，例如指導中小企業創業主在事業成長過程中穩健經營，或是幫助一些貧窮落後地區的人們，改善其生活的環境等。

現階段，按照郭台銘爲自己的規劃，還是在實現理想期。

現年五十二歲、正值盛年的他，雄心和精力，都充分反映在鴻海的績效表現上。

在全球高科技一片不景氣聲中，逆勢上漲的不只是郭台銘個人資產的排名。二〇〇一年上半年，他創立領軍的鴻海精密，營收高達台幣六百一十五億，較二〇〇〇年同期增加八九·六二％。鴻海精密正緊追台灣第一大民營製造業台積電。台積電二〇〇一年上半年營收爲六百五十八億，僅較二〇〇〇年同期小幅成長七·三九％。

事實上，鴻海近十年來營收直線成長，沒有一年衰退過，複合成長率更高達五一％。根據二〇〇一年年中出爐的《天下》雜誌「一千大」排名，鴻海二〇〇〇年營收約九百二十億，在製造業排名第十。

二〇〇一年，高科技業界者拭目以待的重頭戲，就是郭台銘能否帶領鴻海突破營收一千五百億，挑戰台灣「第一大民營製造業」寶座。

我不是兇，而是保持企業中分辨是非對錯的工作價值觀，每個幹部都要有負責任的任事態度。

## 全球征戰的成吉思汗

光是從格局來看，郭台銘的雄心就不容懷疑。「阿里山上的神木之所以大，四千年前種子掉到土裡時就決定了，絕不是四千年後才知道，」郭台銘喜歡這樣比喻格局。

鴻海快手的全球布局，就讓競爭者不敢輕忽。二〇〇一年七月盛夏，某日下午六點，鴻海在捷克的擴廠計劃如火如荼地進行。二十多名鴻海的經理和工程師分坐在歐洲及亞洲的視訊會議桌前，等待郭台銘開啓麥克風，每個人都正襟危坐，不知道誰會在視訊會議上被點名回答作業的進度。

「我不是兇，而是保持企業中分辨是非對錯的工作價值觀，每個幹部都要有負責任的任事態度，」郭台銘說，他賞罰分明，是爲了防止公司內產生和稀泥的攪和文化。

軍隊，是鴻海給外界的感覺。在鴻海的廠區，遠方常傳來新人受訓的口號聲。每一個進入鴻海的基層員工，在上線前都要受爲期五天的基本訓練，內容甚至還包括稍息立正、整隊行進。一位曾在軍校待過的鴻海幹部就說：「鴻海的幹部會議就像軍官團開會！」

重視榮譽，不是陣亡就是升官。這是許多鴻海人在接受採訪時，透露出來的企業文化：命令下來不容質疑，更不用談抗辯，做不好不用講任何理由；所謂「成功的人找方法，失敗的人找理由」，早已深固在每一個鴻海人的心裡。這樣嚴謹的企業文化，讓鴻海一直以效率聞名。常常說自己是「獨裁爲公」的郭台銘，難怪敢公然地說：「民主是最沒效率的做事方式。」

但不能不承認，「獨裁」的領導者，一定有他過人之處，以及獨特的魅力。一位在鴻海已十多年的幹部表示，跟著郭台銘，有打天下的感覺：「你寧願選擇跟著一個積弱不振、苟延殘喘的皇帝，還是一

（邱如仁攝）

■「阿里山上的神木之所以大，四千年前種子掉到土裡時就決定了，絕不是四千年後才知道，」郭台銘喜歡這樣比喻「格局」。

個版圖不斷擴張的大汗？」

「兇是兇，不會不講理，尤其他會給你一個幾十億的做事機會；一個人做事沒有舞台，也就沒有夢想，」在鴻海十六年的鴻海MPE產品事業處處長甘克儉說。

其實對像甘克儉這樣的資深幹部來

說，只要是一九九五年以前鴻海還不及營收百億時加入的，每個人每年配有的股票早就上千萬了，但每天辛苦工作最主要的動力，還是在於跟隨領導人追逐霸業的理想。

## 霸氣來自信心

坐在位於台北縣土城鴻海總部的辦公室裡採訪郭台銘，更可以見識到什麼叫做「隨傳隨到」的霸氣。鴻海本身的高階主管會馬上放下手邊繁忙的工作來報到不說，爲了替記者查證一項數據，就算是遠在高雄的一家供應商，也可以在五分鐘內由總經理親自回報結果。

軍事化的紀律與精準的執行力，讓鴻海可以在瞬息萬變的資訊產業中打敗競爭對手。難怪郭台銘常說：「走出實驗室，就沒有高科技，只有執行的紀律。」

外界感受到郭台銘的霸氣，就是來自鴻海幹部貫徹執行的信心。

走出實驗室，就沒有高科技，
只有執行的紀律。

舉例來說，早期鴻海的員工幾乎都念茲在心的訓示：「要把自動化、效率化的生產管理發揮極致，硬控制成本到最低，才有錢可賺。」

一位鴻海的老幹部回憶，有一次和三位IBM的經理開會，IBM經理納悶地質疑，鴻海這種報價幾乎等於成本，還能賺錢嗎？

「我們很少開會，所以省了很多時間成本，」鴻海幹部回答。

「但不開會，決策不是很容易做錯？」IBM經理反問。

「決策下來我們就去執行，錯的話，我們會很快再改，」鴻海幹部毫不遲疑地回答。

尤其當前不景氣，訂單、存貨、產品研發、市場佔有率，都必須靠速度和成本決定一切。

比速度、比成本，鴻海稱霸準系統（barebone）大廠、打造世界級專業代工廠，一路將戰線拉長到全球。當台灣高科技大廠開始一窩蜂前往大陸設廠，早在一九八八年就進軍大陸的鴻海，卻將裝備精良的快速部隊，拉到了歐洲和南半球。

## 大陸不是全球化之唯一

「設銷售據點不難，但要把生產線搬到半個地球之外，台灣沒有幾家企業做得到，」台大工商管理系教授洪明洲指出，鴻海就是其中之一。

「台灣企業在全球化過程，不能沒有大陸計劃及大陸經驗，但大陸計劃不必是全球化之唯一，」郭台銘在接受專訪時，特別在他習慣邊說邊寫的白報紙上，重重寫上這一句重要的觀念。

元帝國的成吉思汗花了十二年的時間，才建立了橫越歐亞的王國。鴻海為了就近接單、服務客戶，卻能在四年內，打造出橫跨亞洲、北美、拉丁美洲與歐洲的全球據點。

但將他比為成吉思汗，郭台銘自己卻不以為然，只是淡然一笑台灣企業在全球化過程中，不能沒有大陸計劃及大陸經驗，但大陸計劃不必是全球化之唯一。

說：「今天的成就並不能保證明日的成功。成功不能帶給你下次成功的經驗，只帶給你無知與膽怯。」

是他戒愼恐懼，還是已看盡商業的殘酷競爭？

「我當年創業的錢，是我母親標會來的十萬塊錢，」提起母親，在座車中昏黃的燈光下，郭台銘眼中露出難得的溫柔。

「郭媽媽」可說是台灣最有遠見的投資人。因爲，當初的十萬元私房錢，已經變成鴻海今天近三千億的市值。這段創業故事，在別人眼中是傳奇，但在郭台銘自己眼中，又是怎麼樣的一段心路歷程？

## 寒冬中的孤雁

沒有大公司的羽翼，沒有政府長期保護，也沒有家族企業的照顧，郭台銘喜歡形容自己像是「寒冬中的孤雁」。

台大機械系畢業、鴻海成立第二年就加入鴻海的總工程師陳一飛也感嘆：「鴻海一路走來，可以說是標準的孤兒。」

鏡頭拉回二十六年前，三重河堤旁的五金模具店裡。身高一百八十公分的郭台銘，縮在窄小的模具機器旁，他的摩托車引擎仍在發動著，就停在外面。一手奉上點燃的新樂園香菸，一臉堆滿笑意的郭台銘對模具店裡的師傅說：「拜託拜託，這套模具請一定要在今天開出來，客戶明天就要了。我這裡有兩張電影票，今天將模具完成，晚上請你們去看電影。」

那是鴻海創業的第二年，資本額只有三十萬元，專門承接一些黑白電視旋鈕的生意。但鴻海當時規模太小，連模具組都買不起，主要的機器只有塑膠射出成型機，所以一定要先有模具，才能做出產品。

## 一頭栽進製造業

今天的成就並不能保證明日的成功。
成功不能帶給你下次成功的經驗，
只帶給你無知與膽怯。

其實，連郭台銘也沒想到自己會一頭栽進製造業裡。

創業之前，郭台銘以中國海事專科學校航運管理科畢業的背景，進入了當時前三大的船務公司復興航運，在當時有「台灣華爾街」之稱的館前路上班，擔任排船期及押匯工作，每天穿襯衫、打領帶。

民國六十年前後，正好遇上美國紡織配額的規定：下一年的配額，由今年的出口額決定。這表示，只要找到船、排得到船期，就賺到了往後出口的配額。郭台銘至今記憶猶新：「每天紡織商都在搶著出口航位。」

這種經驗讓郭台銘思考：「在台灣從事出口製造業，將是極有發展潛力的行業。」正好當時他一位同學認識在外商公司擔任採購經理的外國人，想買一些零件，於是幾個同學每人拿出十萬元，湊出公司的資本，開始設廠生產。郭台銘也拿出母親標會來的十萬元。

但初次設廠，大家都沒有生產經驗。過了沒多久，將資本用盡卻不能大量生產、穩定交貨，也因此原股東都逐一退出。但郭台銘不願輕易放棄，硬著頭皮就把這家公司頂下。之後，從自己租廠房、找訂單、買原料、管生產，原來製造業這麼辛苦。提及創業，郭台銘仍不住強調：「唉，眞不知當初是哪股傻勁撐了過來。」

## 堅持掌握技術

每次工作很辛苦時，他也會反問自己：「我到底是以賺錢爲目的，還是準備從事長久的工業？」於是，他開始想，要如何把公司的基礎打好。

創業的第四年，郭台銘終於存了一筆錢，本來想蓋一間屬於自己的廠房。當時台北縣的土城正好有一塊土地要出售，每坪才三千八百元；在此同時，原料缺貨，有人乾脆利用資金來囤積居奇。面對這些金錢遊戲的誘惑，郭台銘回憶，當時他考慮了兩個星期，最後決定把錢投入設立自己的模具廠，「坦白說，我也有過一段很徬徨的日子，如今回憶，必須說這是對的決定。」

就在模具廠蓋好半年後，那塊土地已漲了三倍，原料也水漲船高。反觀自己的模具廠才剛成立，況且模具並不是產品，只是製造產品的工具，鴻海許多同仁也反映：「到外面買（模具）反而比較便宜，爲什麼還要自己做呢？」

挑戰還不只於此。設備是新的，連工作人員也是「全新」的。原本，郭台銘的創業夥伴陳一飛堅持，有了好的設備，一定要讓模具的開發公式化。但是，陳一飛回憶，這個想法受到老模具師傅的反彈，最後竟集體抗議。因爲「師徒制」是台灣模具界約定俗成的慣例，沒有人願意把技術流程公開。

但自稱「脾氣硬」的陳一飛不願屈服這種成規，不怕所有人辭職。「當時也沒有大學生願意做模具黑手，」於是台大機械系畢業的他捲起袖子，自己帶了一批年輕的專科、高工畢業生，下手開模具。

陳一飛沒有辜負郭台銘的信任，讓鴻海有了競爭者沒有的、可以繼續累積進步的技術。郭台銘自己也強調：「每到過年，我都告訴自己：堅持下去，一天不自我累積技術，便一天要受制於人。」

## 創業維艱

有了好的產品，賣不好也沒用。於是郭台銘開始全心對外，出去爭取更多公司訂單。現在已經很難想像，這位身價超過二十億美元的富豪，當年爲了見客戶一面，可以在門外淋雨罰站四個小時。

「我還記得那天是中秋節，郭台銘全身溼著回來，而客戶收了禮物，但連門都沒讓他進去，」陳一飛回憶當年的艱苦。

郭台銘自己也透露，記得有一年過年，發完所有年終獎金後，全身上下只剩兩千元。回到家後，他吆喝全家回父母家吃飯過年；大年每到過年，我都告訴自己：
堅持下去，一天不自我累積技術，
便一天要受制於人。

初一時，給父母一千元紅包、初二時給太太娘家一千元紅包，其他所有的吃喝都省了下來。大年初三，郭台銘就開始上班！

民國七十年間，鴻海準備爭取交通銀行的第一筆擴廠貸款，郭台銘形容這是一場「必勝之戰」。因爲要跑得更快、往美國爭取客戶，還要有更強的財務支持。「其實我很少去看中小企業，但當時上面的決定一直不下來，」時任交通銀行業務經理、現在到處旅行、享受退休生活的張天林，在前往美國旅行的路上接到採訪電話，回憶起二十年前的這段往事，「我聽了這個年輕人（指郭台銘）的簡報，覺得他很實在，因爲很少有人會自己去做模具，控制生產品質。」

郭台銘的毅力，不只在研發，更在「跑業務」上。

「說完全不怕，那是假的，」郭台銘想起自己第一次抵達美國爭取訂單時，坦白承認。他回憶，當時客戶沒有馬上談生意，他只好先待在一家紐澤西公路旁的小旅館等。沒有車，又缺少現金、怕花錢，只好哪裡都不去，待在旅館裡每天吃一餐，每餐吃兩個漢堡！星期一，對方的採購經理又要開會，一直到星期二，郭台銘才見到了客戶。但是花了五天時間，見面只有五分鐘：「這是一張產品藍圖，你們試試看吧，把價錢開出來！」

## 餓的人，腦筋特別清楚

但這「一天兩個漢堡」的美國行，郭台銘在小旅館等待的時間裡，完成了美國市場的拓展計劃。「餓的人，腦筋特別清楚，」郭台銘意味深長地說。

第一次美國行雖然訂單有限，卻讓他決定捨代理商的方式，改找一位美國當地人做行銷經理，一起一站一站地拜訪客戶。

「他不但可以幫忙跑業務，還可以順便開車、當司機，又可以讓我練習英語，」郭台銘果然精打細算。同時，因爲美國本土機票不便宜，尤其是短程距離，郭台銘就用公路連接，和客戶告別後，就開車上路到下一個城市，每晚總要十一點後，才在一晚十六美元的便宜汽車旅館check-In（登記住房），隔天早上六點又出發，上午十點前抵達下一個大城市的客戶辦公室。幾年下來，郭台銘竟然已去過美國五十二州的三十二州！

當年一起和郭台銘到美國設立第一家分公司、在郭台銘家裡吃了一個月飯的鴻海老幹部甘克儉觀察：「董事長爲了要見美國客戶三十分鐘，前一天可以準備三個小時以上！」

## 好學總裁

學習能力和實務相結合，再加上對客戶的用心，郭台銘雖然只有專科學歷，卻讓很多人對他的好學、博學，印象深刻。

郭台銘不但自己能學，也樂於把學到的知識和幹部分享，而且常常一講就是兩、三個小時。本身是密西根大學博士的新任鴻海科技特助黃昭陽指出：「加入鴻海以來，眞的在他身上學到很多。」

不過這也說明，郭台銘強勢的個性下，未來鴻海的挑戰，還是在人才。前飛利浦全球電子組件事業群總裁羅益強就指出：「我覺得鴻海要更爲壯大，的確還需要更多有國際觀的管理好手進入董事會。」

鴻海的挑戰，也在郭台銘自己的領導魅力。一名不願透露姓名的資深主管就表示：「董事長退休的時候，也是我退出鴻海的時刻。」

看來，郭台銘若想如自己計劃，在三年後從第一線退到第二線，還需要經歷「安內攘外」的浩大工程，才能將治理權「和平轉移」。

「我每年過年放假都會生病，」郭台銘自稱是那種一閒下來就生病的人。同樣的，鴻海的重要主管，多年來已習慣跟隨郭台銘全球征戰的「馬上」生活，不能沒有戰場。

郭台銘其實不避談接班的話題。在二〇〇〇年的股東會上，郭台銘就已指出鴻海未來會走向「邦聯制」，每一個產品事業群，都足以自成一個王國。二〇〇一年，他更開始調集四十歲左右的主管做工作幕僚。「他們要在我身邊見習一番，」郭台銘強調。

## 路遙知馬力

但無論接班問題如何被猜測，很多人認爲，郭台銘正值盛年，身體又好，應該不會五十六歲就退休。事實上，郭台銘最近才去健康檢查，還做了最先進的全身核磁共振掃描。被詢問到健康狀況時，郭台銘還立刻讓祕書接通爲他健檢的醫師，讓記者求證。醫師說，病人的隱私他恕難奉告，但他以名譽保證：「雖然董事長每天工作時間這麼長，但他的身體是我檢查過最健康的少數人之一！」

只不過五年前，鴻海還只是個營收百億左右的企業；五年後，營收已將突破千億。身體健康、意志力又超強的郭台銘，在過去近三十年來如「孤雁」般的創業歷程後，還會給世人怎樣的震撼？「路遙知馬力，疾風練勁旅。」這是郭台銘在二〇〇一年六月股東會上，送給股東的一句話。

這也是郭台銘傳奇故事的寫照。

# 第二章 餓的人，腦筋特別清楚

張戌誼、張殿文

被封為「台灣科技首富」的郭台銘，
行事一向低調神祕，極少在媒體曝光。
二〇〇一年，《e天下》雜誌爭取獨家貼身專訪
這位徒手創業的科技霸主。自喻是「打不死的蟑螂」，
郭台銘談他的財富、理想、興趣，和他對鴻海的期許……

**問**：你已經是億萬富翁，卻每天平均工作十五個小時；但你的物質生活這麼簡單、不愛花錢，又很低調、不喜歡曝光。如果不是爲名爲利，很好奇你這樣拚命，背後的動力到底是什麼？

**答**：我的人生規劃大概分三個階段來看：二十五歲到四十五歲是一個階段，爲錢做事；四十五歲到六十五歲是另一個階段，爲理想做事；六十五歲退休以後，我希望能爲興趣做事。爲錢做事，容易累；爲理想做事，能夠耐風寒；爲興趣做事，則永不倦怠。

我退伍後創業，二十五歲到四十五歲這前二十年，是爲了賺錢、生存。人家說我是「台灣科技首富」，我說其實是我沒有做財稅規劃，讓人家計算出來有多少錢，應該是台灣「首笨」。但是，有了錢，才可以實現理想、追求興趣。

## 賺錢是企業的社會責任

為錢做事，容易累；
為理想做事，能夠耐風寒；
為興趣做事，則永不倦怠。

我是一九五〇年生，今年（二〇〇一年）五十一歲。剛才我說四十五歲到六十五歲這個階段，是爲理想做事；看來，我有可能提前達成階段目標。我三年後將退居第二線，然後再觀察及輔導三年。我還有兩任、六年的董事長任期，到二〇〇七年六月三十日正式退休。所以，我可能五十六歲左右就退休，不必等到六十五歲，儘快將棒子交給年輕人。

很多人都說賺錢是我唯一的嗜好。其實我不同意這個說法，因爲只要我坐在這個位置，就必須把事業經營好，讓公司賺錢。這是我的工作，也是責任。企業的首要任務就是賺錢，這同時也是企業的社會責任。賺了錢該繳稅給政府就繳稅，也讓股東及員工都有錢可賺。

個人生活上，我也眞的沒有興趣花錢，這是生活習慣，不是裝出來的。你說我什麼樣名貴的東西買不起？就是不喜歡嘛！很多人有錢，喜歡去蒐集名貴的東西來欣賞，或是去太空探險。我對這種比較

「自我」領域的興趣，不會去做。

## 工作本身就是一種享受

我也常反問，人的物質享受為什麼一定要top（頂級）呢？以買車來說，我明明可以買更好的，但我就是故意不要讓自己在物質享受上站在頂尖，而是告訴自己要經過努力，才可以再上一層。這就是我的哲學。人應該給自己訂定目標，把工作做到最滿意的地步，同時告訴自己將來還有機會達到頂尖，要給自己留一個追逐的空間。

**問**：所以賺錢對你來說，只是一種手段和工具？你是多年輕時就有這樣的想法？

**答**：我認為，賺錢，是為了在社會上獲得重視的過程，但不是目的。我覺得工作本身就是一種享受。我自己的嗜好，頂多打一場球、游個泳來放鬆自己，就夠了。

只要我坐在這個位置，就必須把事業經營好，讓公司賺錢。這是我的工作，也是責任。

我對於挑戰困難的工作比較有興趣。像現階段，我經營一個公司，一定要把它做得很好，有世界級的競爭力，這是我的理想。未來當我退休，我想去幫助一些弱勢團體、一些需要幫助的人，讓他們得到成長。我並不求回報，這是我的興趣，也是我的快樂。

例如，我自己是中小企業創業成功，有很多經驗，可以去幫助中小企業或是創業家。以前經濟部中小企業處也跟我提過，叫我去上課，可是我沒有時間，要等到我退休以後。將來我不是上課，而是像下棋的老師一樣，我帶幾個中小企業，星期一到星期五，每天去一家。董事長要做什麼決策，我就在旁邊協助、帶領，分享一些心得。

## 輔導中小企業求生

**問**：你剛才談到要去教導、輔導中小企業，你也會像創投的角色去投資他們嗎？

**答**：不會，絕對不會。因爲我剛剛談到，幫助弱小的中小企業和個人，讓他們成長，是我的樂趣。我幫助的目的，不是獲取，更不是圖回報。如果是以創投的角色去投資的話，目的只有一個，那就是賺錢。而我不是爲賺錢，我賺的錢，已經三輩子也花不完了。

**問**：即使是遇到你欣賞的創業團隊，需要資金，你也不投資嗎？

**答**：我同樣不會，但我會無償奉獻我的經驗。幫助他人的方式有兩種：一種是授之以「魚」，但吃了早餐，下餐就沒戲；另一種是授之以「漁」，那就是無價估算的經驗傳授。後一種方式比前一種更爲管用，但必須要有一個條件：這些年輕中小企業主必須具有眞正的吃苦耐勞、有理想、有毅力的創業家精神。

**問**：台灣經濟的活力在於中小企業的彈性，但這些年，中小企業在台灣的處境似乎並不樂觀。那麼你認爲中小企業應該如何求生呢？

**答**：還是以鴻海爲例來談這個問題。我們公司過去這十幾年來，

人應該給自己訂定目標，把工作做到最滿意的地步，
同時告訴自己將來還有機會達到頂尖，
要給自己留一個追逐的空間。

你們可以看到，經營的環境雖然愈來愈難，我們卻一直持續成長。

## 為生存而拚鬥的求生意志

我們有沒有遇到財務困境過？創業最小的時候，一開始四、五年時有過，因爲用很小的資本做很大的事情，周轉是個問題。台灣的金融體制其實不是很健全，都是給了大企業、國營企業去用，當時中小企業拿到資金非常困難。但是在那麼困難之下，能成長茁壯的中小企業體質都非常健康，爲什麼呢？它受得了嚴酷的考驗。我想我們今天的成績，都是那時候打下的基礎，因爲環境是嚴酷的，幾乎沒有任何外援，只有爲生存而拚鬥的求生意志力。但這正是我們還能繼續生存，甚至繼續成長的原動力。

我看過一本書，寫葡萄藤生長的故事。原來，釀最好葡萄酒的葡萄藤，長的地方都是最貧瘠的。因爲葡萄藤長在這貧瘠的砂土，爲了

尋找水源，它的根就會一直生長，生命力就很旺盛，它可以伸長到地下十二公尺；其次，因爲陽光不是很充足，所以它會儘量把它的枝枒伸直，葉子展開，好讓每片葉子接受陽光。

這就像台灣的中小企業，一九七〇、八〇年代，政府都在注意大企業，小企業都要自力更生。講個玩笑：那時候還有票據法，小企業退票還要坐牢，所以很多小企業登記的負責人都是老闆娘的名字，萬一有事都是老闆娘坐牢，讓老闆可以繼續在外面做事，但是最後常常是老闆娘繼續在裡面坐牢，老闆在外面成功了就娶小老婆（大笑）。

銀行金融體系對中小企業也毫無輔導可言。除了少數政策性輔導銀行例如交通銀行外，很難拿到資源，好的人才也不肯到中小企業。這種情形下，就像葡萄藤一樣，中小企業必須自力求生。

## 打不死的蟑螂

幫助他人的方式有兩種：一種是授之以「魚」，
但吃了早餐，下餐就沒戲；另一種是授之以「漁」，
那就是無價估算的經驗傳授。

記得我有一次和歐洲盧森堡第三大的公司談技術合作，在美國共同看一家小公司，想要投資。他們問我：爲什麼對中小企業那麼有經驗，一看就知道能不能投資？他希望我告訴他我過去成功的經驗。我說，我從不認爲自己是成功，不過我做了十幾年，學到了怎麼生存；我不能說我將來一定多成功，但是我可以保證，我一定像蟑螂一樣，在任何惡劣的環境之下，我都絕對可以生存。

台灣中小企業之可貴，就是他們有堅韌的生命力，這種堅韌的生命力，是因爲當年台灣有這樣的環境。是什麼樣的環境呢？我說了你們敢不敢寫（開始在白報紙上條列）？

台灣中小企業能成長，一定要先有個符合磨練中小企業的環境。

第一，政府效率一定要很差，沒有輔導，只有找麻煩。第二，沒有金融資源，只有退票坐牢。第三，政府把所有資源照顧大企業、國營企業；第四，護照在海外也都沒有用。我講的這些都是實在的話。

## 環境嚴苛是件好事

有一次我帶台灣模具公會去新加坡開「亞洲模協大會」，新加坡當時的勞工部長請我吃飯，問我爲什麼台灣的中小企業那麼強？爲什麼新加坡的中小企業都輔導不起來？我說，因爲新加坡政府太好了！這就好像一個小孩子，一歲的時候要吃奶，三歲以後吃奶外要加維他命，一切的生長過程都是父母照顧及保護，沒有機會受到刮風下雨的鍛鍊。新加坡的工業，就像新加坡機場旁的兩排大樹，都是從馬來西亞深山裡運來移植的，沒有眞正向下去扎根。還好新加坡沒有颱風、沒有地震，不然那兩排樹早就沒有了。

所以，我現在反過來看，台灣的環境嚴苛，其實是好事，不是壞事！在一九七〇、八〇年代，台灣事實上是「大企業做內銷，小企業做外銷」。做外銷，就要去外面和人家鬥。可以說，台灣中小企業的

我從不認為自己是成功，不過我做了十幾年，
學到了怎麼生存。

成長法則，就是「物競天擇，適者生存」，必須具備非常強烈的環境適應能力，才能生存。

因此，雖然以前我常常批評政府效率，希望它能夠改變，但是回頭想想，如果政府變得像新加坡政府一樣有效率、有輔導，對台灣中小企業的成長是福是禍，其實很難說。所以我現在不罵了，反而希望政府保持現狀，有一個環境來磨練中小企業。你看新加坡的中小企業，到哪裡都不能跟台灣「打不死的蟑螂」競爭。

## 執著與冒險犯難

**問**：講到生存，還有台灣中小企業自力更生、全球到處去接單的本領，很好奇你自己第一次拎著包包、踏上美國做生意時，不會覺得恐懼嗎？

**答**：說不怕是騙人的。但當你要去做一件事情的時候，你的執著

和冒險犯難是很重要的。

這是我記憶很深的故事：我到美國去的時候，當時朗訊（Lucent）還是AT&T（美國電話電報公司）的一部分。我去朗訊總部，當然坐的是經濟艙，是最便宜、半夜飛的所謂「紅眼機票」，而且時間都是訂死的；住最便宜的旅館，還不會開車。結果，到紐澤西剛好是星期五早上，下午代理商帶我們去拜訪AT&T的交換機部門；誰知道，國外大公司星期五下午通常都不太工作的。對方的採購說，我今天雖然見你，但是我家裡還有事，你要做我的生意，最好星期一再來。於是我的代理商就把我送回旅館。

我沒有車，也沒人理，就被困在旅館。我這個人習慣工作，結果突然多出快三天出差的費用，我就一天只吃一餐，兩個漢堡。

餓的人頭腦比較清楚（笑）。我當時就在那裡，把拓展美國的計劃在三天之內完成了。星期一的時候，我去見採購，他們又說慣例上

台灣中小企業的成長法則，就是「物競天擇，
適者生存」，必須具備非常強烈的環境適應能力，
才能生存。

星期一是不見廠商的。直到星期二，我才見到採購，他給我兩張藍圖，要我回去估價。我花了這麼久的時間，最後只拿到兩張藍圖，這說明了要做美國大廠的生意有多不容易！

後來我就決定，在美國跑生意不找代理商，而是雇了個老外跟著我一起跑。我曾到過美國三十二個州，到處去跑訂單。每次我跑完回到台灣，我請的那個老外都要請一個星期的假。我有一次就問他：「你爲什麼要請一個星期的假呢？」他回答說：「跟你出差太累了，我要在家裡休息一個星期才能恢復體力，如果不這樣，我一定會昏倒在辦公廳。」

這個老外跟著我跑，還可以負責開車，我也可以順便跟他練習英語。我們常常是下午六點之後出發，開個幾小時到另一個城市，準備第二天拜訪客戶。所以我對美國高速公路旁的連鎖餐廳 Danny's 非常熟悉，連菜單我都會背。住在一晚十六美元的汽車旅館，都是晚上十

一點後check-in，非常省。我一回去，那個老外就要請一個星期的假，但我一飛回來就上班了，這都是練出來的。

所以我說，人沒有天生的窮命和賤命，只有你是什麼樣的心態來磨練自己。

## 向對手學習

打美國市場一開始是非常困難的。像我做康柏（Compaq）的生意，是早在康柏到新加坡設工廠之前，就跟他們做生意了。我當初爲了打進康柏，從洛杉磯飛到休士頓，起碼跑了兩年才拿到第一張藍圖。這兩年內，我每三個月都要飛去一次，跟他們推銷我們公司，說我的產品多好多好，當時大家都不相信。兩年後，我拿到第一張藍圖試做。那時候我們的競爭對手是世界大廠，實在太強了。我們是台灣小廠，怎麼有辦法跟世界第一競爭？但是我們就是很執著，靠世界一人沒有天生的窮命和賤命，只有你是什麼樣的心態來磨練自己。

流的品質、交期、信譽去競爭。

**問**：小廠要如何才能做到品質世界一流呢？

**答**：這就是要不斷地學習，向對手學習。你看老鳥教小鳥學習飛的時候，總是會先從一個很低的地方把小鳥往下放，小鳥開始會掉下去，但慢慢也會飛得愈來愈高、愈來愈遠。

鴻海就是經過不斷學習，累積經驗，一步步發展起來的。成功絕對會經過失敗，輕易的成功，也絕對不是件好事。

## 千軍易得，一將難求

**問**：在經營企業中，你所遇到最大的挑戰是什麼？

**答**：人才。人才的選拔和培育，是一個企業永恆的難題，所謂「千軍易得，一將難求」。

前面我提過，我沒有個人物質享受的興趣，但是爲了提升企業的競爭力，在投資設備和人才方面，我從不吝於花錢。只要是世界上最先進的設備，不管價格怎樣，我都會購買。在投資人才方面，我更捨得花錢。爲了引進光通訊專家，我標出了年薪一千萬的酬金。

在人才的培育方面，我們把眼光放遠，在台北、美國、中國大陸，都有所謂的「世幹班」，將他們培養成國際化的人才，還讓他們去海外受訓，爲此花費上千萬美元。與其說花錢是我的一種享受，還不如說花錢是我的一種追求，這就是我的哲學。

## 長期投資自己

**問**：跟世界第一強競爭，你怎麼避開專利？

**答**：美國那些大公司常拿專利來當進入障礙，想要卡死我們。我們是用自己的律師越洋去美國打官司的。爲什麼要打官司？因爲要突破他們的專利。鴻海一直是全台灣申請專利前三名的公司。

成功絕對會經過失敗，輕易的成功，
也絕對不是件好事。

**問**：但也有人說你們現在有很多法務專家和IP（專利）護身，和當初角色易位，反過來可以去壓其他競爭的小廠……

**答**：我可以告訴你（語氣加重），當我被人家欺負的時候，我要建立自己的專利，我要有我自己的智慧財產權，以積累技術、經驗及知識，進而形成智慧資本（IC，Intellectual Capital）。這是我和美國那些對手競爭，他們拚命想打死我，我活過來了，也培養了自己的研發能力及智慧資本；現在所有中小企業要模仿我，他們也得像我以前一樣，接受這樣的考驗。這就是知識經濟的遊戲規則。

我們長期投入相當的人力和金錢，學習各個跨國公司如何建立自己的智慧財產權及其部署，同時也配合公司產品擴充及經營的國際化，建立了自己相當規模的智慧財產權，進而形成在技術和產品上的智慧資本，才進入全球的知識經濟遊戲規則。只有自己長期投資自己，才可以在全球競爭的自然法則下生存。

你看，今年（指二〇〇一年）六月份大環境這麼困難，台灣有幾家公司像鴻海，還能繼續成長？而且我們內部還不滿意，這就是說我們更努力在做業績。

## 耐得住風寒和寂寞

我來接受你們訪問，也是幫你們做業績、增加銷路啊（大笑）！其實我非常淡泊，根本不需要出名。我是很神祕，但是股東大會卻不能不開。每次開股東大會，媒體就來拍我一堆照片，然後就自己去寫一些報導。我這次接受你們專訪，應該是十幾年來我第一次這麼完整地來談這些事情。

我不是作秀，但是公司出名了，反而逼著我跟著要出名。就像地瓜在山上長得太大了，大家都跑來看，你躲都躲不掉（大笑）。

**問**：怎麼說自己是地瓜，你不是常用山上的神木比喻「格局」

> 人才的選拔和培育，是一個企業永恆的難題，
> 所謂「千軍易得，一將難求」。

嗎？

**答**：是啊，四千年的神木，當它種下去的時候，就已經決定了。因爲它長在空曠的地方，不是在西門町，它要耐得住風寒和寂寞。神木之所以變成神木，在那時候就決定了的。所以，「格局」是一開始你心裡怎麼想。例如說，我離開學校，到外面上班，一開始我就認爲，我將來自己的簽字，一定很重要，所以苦練我的英文簽字。三十年來，我所有重大的契約，都是用相同的簽字完成的。

## 把企業的格局放長遠、寬廣

**問**：你對於自己或鴻海，又抱著什麼樣的「格局」？

**答**：簡單地說，鴻海應該是一個長期發展的全球化企業。還是在創業的初期，我就感覺到企業不做全球化是沒有出路的。我在美洲、亞洲、歐洲都設廠，使製造能力迅速爬升、製造成本大幅下降，把戰

線在全球拉開，才能拉大與競爭對手的差距。

一九九八年，我們的歐洲工廠——蘇格蘭廠正式開工營運，這只是國際化的第一步。第二步我要求在亞洲、美洲、歐洲各設兩座大型工廠，今天我們已經做到了。

鴻海現在走到這個階段將近二十八歲，往後這十幾年是青年到壯年，是黃金時期。我一直在想：公司應該要走美國的企業型態，還是歐洲的型態？我可能比較想走歐洲的型態。你看歐洲的許多大公司已經百年了，美國企業現在能活上百年的還不多。歐洲的企業模式公司壽命都比較久，能長期穩定發展。這跟經營主持者的心態很有關係。退休後，我將來要轉去做公益事業，會成立很多基金會，而且公司將讓很多專業經理人來經營。

總而言之，我們就是要把企業的格局放長遠、放寬廣。

我和美國那些對手競爭，他們拚命想打死我，
我活過來了，也培養了自己的研發能力及智慧資本：
現在所有中小企業要模仿我，他們也得像我以前一樣，
接受這樣的考驗。

## 有夢想才美

**問**：我們看到鴻海有很多三十、四十多歲的年輕經理人跟在你身邊見習，是不是就在考慮接班的事情？

**答**：我們公司雖然好像只有我一個在枱面上，其實已經在培養人才，人力結構的素質也相當高。

長遠來說，公司的經營會走歐洲的方式，不是家族事業，而是公眾的企業，由專業經理人管理。鴻海想做百年的企業，百年後大家怎麼看我們？誰擁有不重要，重要的是企業還繼續經營。

鴻海要活到上百歲，就是二〇七四年，到現在還有七十幾年。到時候我還在不在？這也不是不可能，有夢想才美（笑）。

我的信心源自於努力和經驗。所謂信心是，無論景氣再壞，都要相信自己有能力。一隻鳥要飛過一片海峽，起飛時牠要有信心，要知

道怎麼飛；起飛後，要想好下一個落腳點在哪裡。既然已經起飛了，就要對自己有信心。

我的信心源自於努力和經驗。
所謂信心是，無論景氣再壞，都要相信自己有能力。

# 第三章 在我的領域，沒有競爭對手

有人說他像冷面殺手，
有人說他霸氣強悍，
那麼，郭台銘怎麼看自己？
又怎麼看鴻海的策略？

吳琬瑜、盧智芳

**問**：最近很多報導提到鴻海要進入系統市場，是眞的嗎？

**答**：第一、我們沒有電子方面的技術；第二、我們絕對不會去做主機板。一個沒有電子能力的公司，怎麼可能去做系統大廠？

我們現在進行很多策略結盟，因爲將來是個光、機、電整合的時代。這些結盟都是基於客戶的彼此需要。比如我們與大眾結盟，兩個公司一起開發未來新一代的數位產品。我們有自己的核心技術。過去低成本等於低階，就是便宜的東西沒好貨。現在客戶要又便宜又好，而我們公司的宗旨，就是先進的製造能力。

不過，現在出現免費電腦，CPU又愈來愈快，把很多晶片組的功能都併進去。有一天，當主機板都變成結構性的標準品時，PC就不是電子業，變成機械業了。以量取勝，以成本取勝，今天來講我很專精。到那時候，就算我不去找客戶，客戶也會來找我，要我去做。

**問**：但這些傳聞對很多廠商造成不小心理壓力。你有什麼看法？

領導人要以身作則，任何困難的事，我半夜不睡一定在場；第二，獨裁為公。

## 建立世界一流的公司

**答**：我今天做連接器，把台灣的連接器變成世界級的，很多人到台灣來買。以前空機殼是一個被看不起的行業，我做了以後，全世界八〇%的電腦外殼到台灣來買，而我只佔二〇%幾，我不曉得大家怕我什麼。我的目標不是跟台灣這些小廠去爭什麼。我的目標是替機械產業建立雛形，建立世界一流的公司。人家要買這些東西一定到台灣來買，我產能滿了，他們就找別的廠商，我不可能全部通吃。

我開發材料，建立環境，訓練的人才總會流出去。台灣做連接器的人，有五、六成是從我這裡流出去的，怎麼說我去跟他競爭呢？更何況，我開始的時候根本沒有競爭對手。有人問我，你有沒有競爭對手？我必須要講，在我的領域裡面，我不認爲他們是我的競爭對手。其實只要合理報價、不抄襲、發展技術，有一天小廠也會變得很強。

（陳之俊攝）

■郭台銘：「在快速成長的企業，領袖應該多一點霸氣。」

不過我必須要講，桌上型電腦、筆記型電腦這些領域，我也勸他們最好不要做。爲什麼？時機過去了。

現在國際大廠的趨勢，是不想開放新的供應商，反而希望縮減廠商數。而且我們有幾千個專利，要避開我們非常困難。這些產品都是我的基礎，是我的心血，我不會輕易放棄。

**問**：爲什麼鴻海能有這種地位？你是怎麼做到的？

**答**：將來的PC行業是快、變、準的行業。所以要做到三點：「Time to market」（即時上市）、「Time to volume」（即時量產）、「Time to money」（即時變現）。

即時上市，就是新產品開發。我們現在開發新機種，從設計到大量生產，八個星期內完成。在海外、美國，大概要四個月。

即時量產，就是一開始爬坡要快。一個機殼產品，大大小小的模具大概要五十付到六十付，彼此的尺寸還要搭配。如果我們在全球三個地方交貨，那要開三套，就要準備一百多付。做好以後，馬上要做到幾千萬的量，這是非常強大的製造技術能力。

即時變現就是全球運籌，我們有辦法在歐洲、美國交貨。今天我貨做好放在中國大陸、放在台灣，做一台PC賺幾十美元，可是空運一台就要四十到五十美元，賺的錢都沒有了。不能空運，那怎麼辦？在當地做。我們不光是製造技術領先，在整個運作系統上也花了很多時間。

## 沒有技術？兩年後再來

**問**：要怎樣才能做到這三點？有技術嗎？

**答**：我試著回答，但既然是技術，總是要稍微保留一點（笑）。這需要花很多時間。今天我可以告訴你這些，因爲我們二十幾年來都朝這目標做。我們掌握的關鍵技術都是從基礎做起，比如你馬步將來的PC行業是快、變、準的行業。
所以要做到三點：
即時上市、即時量產、即時變現。

練得扎實，你跆拳道就打得好。我們今天能變化很快，靠的是過去十幾年的材料技術。

如果你沒有自己的技術，只想模仿我們，那就先回去做苦工、練馬步。每天先做兩百下伏地挺身，做兩年以後，我再跟你說下一步。你看人家飛簷走壁，劍術很好，那是閉關自學了很多年的東西。

所以小廠一定要從扎扎實實的基礎、製造技術開始下工夫。這些製造技術，是現在歐美的新新人類不願意去做的。我們公司一直堅持在這裡，這是我們發展的方向。

**問**：爲什麼你願意扎實下工夫，選難路走？跟個性有關嗎？

## 領袖應該多一點霸氣

**答**：我要想想看（笑）。你要說故事，那可以說很多，什麼看魚往上游啊！（笑）爲什麼會養成這種個性？我也說不上來。比如打麻將，你拿一個牌，拿到馬上聽三六九，沒有意思。拿到很爛的牌，絞盡腦汁去打，反而有趣。其實，這是一個人生觀，我一直告訴自己，愈年輕的時候、愈禁得起摔跤的時候，應該儘量去經歷。所以我常說「聰明跟智慧不對等，努力必須還要加上毅力」。

**問**：你怎麼定義管理？

**答**：管理只是個概念，而不是執行的手段。講到鴻海怎麼管理，我認為一個人只要給他責任，讓員工背著責任做事情，他們只要肯負責就不用管。這是我們的文化。

**問**：你覺得你屬於哪一種領導模式？為什麼要用這種方式？

**答**：我認為企業要講效率，就不該談民主。民主是最沒有效率的做事方式。民主是一種氣氛、感覺，讓大家可以溝通。可是我認為，在快速成長的企業，領袖應該要多一點霸氣。

今天英特爾講十倍速時代，基本功做好才能談變化。微軟講創企業要講效率，就不該談民主。
民主是最沒有效率的做事方式。

新，其實背後是紀律。所以我認為，如果今天你講民主跟紀律，我認為紀律會比民主重要。不過，我們應該照顧員工，而且員工做錯，要給他機會。鴻海的員工只要是因為想做事做錯，不會受罰。受處罰的都是不想做事的。

## 創新的背後是紀律

領導人要以身作則，任何困難的事，我半夜不睡一定在場。第二，獨裁為公，我跟大家講了為什麼這麼做，講完了就做決定。我這樣講一定會有爭議，但是我們的目的不是讓所有人滿意，我們的目的是讓股東滿意，讓客戶滿意。

**問**：外面的人看你，覺得你很霸氣，你自己怎麼看？

**答**：不了解我的人覺得我很霸氣，其實我這個人很好相處。我只不過是一個很理性的工作者。

# 徒手創業

# 第二部

# 第四章 悍鬥鴻海霸圖

盧智芳

在所有獲利和成長的指標上，鴻海樣樣搶佔前幾名。
他的「梟雄」企圖和曹興誠並稱，強勢管理更甚張忠謀，
「既怕他，又不了解他，」一位同業主管說。
這位讀《孫子兵法》、意志驃悍的領導人，
如何實現「台灣第一、亞洲第一、世界第一」的決心？
令人注目的鴻海動向，下一步攻向何處？

敢對投資人大聲說話的企業主不多，鴻海集團總裁郭台銘就是。

一九九九年六月一日，鴻海精密的股東大會上，郭台銘與股東在發言程序上起爭執。氣極了，「你可以不要買鴻海的股票，」他直截了當地對台下股東說。

郭台銘的確有實力這麼說，因爲，一九九八年鴻海每股盈餘七．六元，營收成長六三%，非常搶眼。

## 霸氣造就鴻海

郭台銘在業界素以性格剛強、作風霸氣著稱，就算面對股東，也不改本色。

他的霸氣造就鴻海。鴻海做的是連接器，這是連接不同電子組件間的小零件，但郭台銘卻有本事做成大生意。現在，鴻海是全球最大的個人電腦連接器供應商，數得出來的世界大廠，如英特爾、康柏、戴爾與ＩＢＭ，都要與它合作。

「鴻海已有世界級企業的氣勢，」連接器產業升級促進會榮譽會長、台灣龍傑董事長何敬智說。

經營績效反映在數字上，鴻海一九九八年營收三百八十二億，在《天下》雜誌一千大企業調查中排名第十五，最賺錢的五十家排名第十二、營運績效最佳排名第四。

個人擁有鴻海三成股權的郭台銘，繼一九九八年後，一九九九年再度登上美國《富比士》雜誌全球財富排行榜，以十二億美元的身價排名兩百七十一，勝過廣達電腦董事長林百里。

最近幾年，郭台銘霸氣的作風，數次震撼台灣的個人電腦產業。

鴻海雖然只是小零件的供應商，但是運用策略聯盟及轉投資（見第九五頁），正一步步擴張到上層的系統（指個人電腦組裝）。這種剽悍的發展策略，就好比原來做汽車螺絲的公司，開始自己做車身、做輪胎，眼看就要與福特、豐田比做整輛汽車。

## 神龍見首不見尾

市場不斷傳出郭台銘要從準系統跨足系統。一九九九年七月中，鴻海取得做系統組裝的華升電子一八%股權後，神達、大眾聯手防衛鴻海，結盟爭取康柏低價電腦訂單的傳聞，甚囂塵上。

就在消息傳出後數日，大眾電腦董事長簡明仁與神達電腦總經理蔡豐賜，接受《天下》雜誌採訪，兩人都否認有聯手封殺鴻海的計劃。對外界種種疑慮，郭台銘再度強調，目前鴻海絕不會進入主機板及系統。但是郭台銘大膽、犀利的趨勢判斷，卻預告出他會有大動作，「個人電腦將會是我專長的機械業，不是電子業，」郭台銘說。

一舉一動都受市場高度關注，郭台銘應該是個出名的公眾人物，他卻極少公開露面。五年來，除了公開場合，郭台銘不見媒體。員工

## 鴻海的策略聯盟布局

| | 轉投資事業 | 營業項目 | 鴻海持股比例 |
|---|---|---|---|
| 上游半導體 | 聯發科技 | 積體電路製造銷售 | 2% |
| | 聯詠科技 | 積體電路製造銷售 | 1% |
| | 矽豐 | 封裝測試 | 5% |
| 電腦周邊 | 英誌企業 | 電腦外殼 | 3% |
| | 隴華電子 | 個人電腦、語音卡、記憶卡製造 | 0.49% |
| | 欣興電子 | 印刷電路板 | 2% |
| | 廣宇 | 光碟機、線纜 | 19% |
| | 華升 | 系統組裝 | 18% |
| 材料 | 燁輝 | 鋼材生產 | 1% |
| | 廣輝 | TFT-LCD | 4% |
| 其他 | 立衛科技 | 自動測試儀器 | 2% |
| | 所羅門 | 發電及泵浦引擎變速機、電子零件 | 2% |
| | 新典自動化 | 自動化產品 | 4% |
| | 立碁國際 | 資訊產品專業貿易商 | 4% |

資料來源：鴻海精密

■大白紙上寫滿產品分析與市場動向，郭台銘認為企業經營要格局、布局與步局等三局。

形容他「神龍見首不見尾」。「同業既怕他，又不了解他，」一位同業說。

對鴻海，郭台銘就是靈魂。「他（郭台銘）之於鴻海，更甚於張忠謀之於台積電，」技嘉科技董事長葉培城形容。

白手起家，只有中國海專畢業的郭台銘，爲什麼有這種影響力？台灣有數百家連接器廠商，爲什麼只有鴻海出線，躍上世界舞台？鴻海又會如何震撼台灣的電腦產業？

## 愈困難愈有鬥志

靠近郭台銘，很容易感受到他的沸騰精力與好強求勝的強烈意志。

他說話滔滔不絕，眼神直視，語氣強勢且不容人輕易打斷。提到競爭態勢，剽悍的氣質自然顯現。

「最近有人問我，你有沒有競爭對手？」郭台銘語氣一轉：「我必須要講，在我的領域裡面，我根本不認爲這些台灣小廠是我的競爭對手。」

每天，郭台銘至少工作十五小時。辦公室三個偌大白板上，掛著記錄用的大白紙，密密麻麻地分析產品與市場。一九九九年鴻海計劃在日本設廠，其中一張白紙上寫著斗大的字：「進攻日本市場之戰略。」

牆上懸掛的巨幅世界地圖，圈來圈去，各種箭頭勾勒出郭台銘運籌帷幄的思考歷程。

郭台銘自喻喜歡挑戰困難，愈困難就愈有鬥志。他想不出在成長過程中，有任何特殊際遇養成這種性格，但他很早就清楚挑戰困難的報酬：每過一關，自己就有更強的實力。

## 大膽敢衝

業界常拿郭台銘與聯電董事長曹興誠並舉，說兩人都有梟雄氣勢。對此，曹興誠倒是哈哈一笑帶過：「大概因為都專注本業吧。」同業眼中的鴻海，不論在策略與執行上，都以大膽、敢衝、投入大手筆著稱。比如郭台銘早在一九八八年就赴大陸設廠，屬於早期動作快的一群。建築師吳瑞榮當時為郭台銘在廣東深圳設計、規劃第一座廠房。「深圳大學前三、五百畝地，啪，他一口氣全買了，」那是郭台銘第一次在大陸買地蓋廠，吳瑞榮印象極為深刻。

郭台銘敢衝的性格，表現在先接下訂單，再全力擴充產能的策略上。吳瑞榮甚至有三個月建廠，工廠一邊趕工興建、一邊生產出貨的經驗。

每一次，郭台銘的大手筆都像下個賭注。「每次賭贏，鴻海都更

企業經營要有格局、布局與步局等三局，
每一步都要經過思考。

上一層樓，」一位同業指出。

## 企業經營要「三局」

但郭台銘自己卻不這麼看。相反的，他認爲企業經營要有格局、布局與步局等「三局」，每一步都要經過思考。

從成立鴻海的第一天，郭台銘的目標就很明確：他要鴻海成爲台灣第一、亞洲第一、世界第一的企業。「阿里山的神木之所以大，四千年前種子掉到土裡時就決定了，絕不是四千年後才知道，」郭台銘說。

挾著做第一的企圖，以及本身的霸氣，郭台銘強烈捍衛自己的企業版圖，不容任何競爭者接近。不只如此，他要掌握任何影響事業的變數。

今天的連接器，精密度已不下任何高科技產品。以一個銜接微處理器與主機板的連接器來說，半張名片大的面積上，密布數百個針刺般的插孔，有一個不密合就不能用。

## 勤練基本功

對郭台銘而言，鴻海不能被任何人扼住喉嚨，掌控生死。所以製造生產之外，他連上游相關技術都不放過。

反映在做法上，鴻海非常重視研發，而且範圍從量產技術延伸到上游原料。早期，他就曾與南亞、長春石化做出台灣第一套工程用塑膠粒。

爲了進軍電腦機殼，鴻海和燁輝合作發展鍍鋅鋼板，鴻海利用自己的實驗室，就能分析出材料結構。「我花非常多時間練基本功，」郭台銘說。

土城總廠內，鴻海大大小小的材料、檢測實驗室就有十餘個。光是基礎材料，就有五個博士在研究。大陸的檢測部門有一百人，還不包括散布在各事業處的研發編制。

「他（郭台銘）的確用心經營，」何敬智肯定競爭對手。

## 掌握專利　可攻可守

除了掌握核心技術，郭台銘還有一項可攻可禦的武器：專利。一九九七年國內企業取得專利的排行榜上，鴻海高居第五，居電腦產業之冠。

鴻海土城廠內，有國內企業少見的大規模法務部門。僅駐廠律師就有六人，專利工程師有十餘人，大陸編制更超過五十人。

這些法務人員除了應付對手的訴訟、分析產業的動態，更重要的，是將鴻海投入研發的努力，轉成專利。

從一九九五年迄今，鴻海提出申請專利超過三千件。光是一九九九年前八個月，鴻海就申請了一千一百件專利。

早期，鴻海規模不夠大，常遭到國外大廠控告侵權，「鴻海的法務部門是被打大的，」一名駐廠律師說。現在，專利成爲高科技業另一種競爭手段，他也承認鴻海仍然經常接到競爭對手的警告。

涉獵《孫子兵法》，郭台銘顯然已經反守爲攻。「同業想不碰到都很難，」郭台銘豪氣地說，「現在他們不能告我，我還要回去告他們。」

## 倚賴上游不可能成長

爲什麼郭台銘如此重視掌握技術自主？這跟鴻海發跡的過程有關。

回溯到一九七四那一年，剛退伍的郭台銘成立鴻海精密工業。當時鴻海的資本額只有台幣三十萬元，做的還不是連接器，而是黑白電視機旋鈕。

旋鈕與連接器一樣，模具開得好不好直接影響產品品質。但當時三重埔的模具廠都是黑手師傅經營，生意一好，學徒就出去自行開業，人才流動快，模具品質、交期都不穩定。

郭台銘當時雖然年輕，卻心思縝密。他觀察到這些模具廠都靠經驗，而不是知識做事，所以永遠靠錯誤學習。小廠林立，資本、技術很難累積。「每個人都在學做老闆，而不是學做好的模具工程師，」郭台銘說。

飽受上游廠困擾，郭台銘因此深切體會：倚賴他們，鴻海不可能成長。

## 面對選擇的掙扎與矛盾

一九七七年，手中好不容易蓄積第一筆資金的郭台銘，面臨兩個選擇：一是到日本買進模具設備，蓋自己的模具廠；一是在土城買地建廠，不用再租借廠房。

幾經掙扎，郭台銘決定選擇前者。一年後他到原地去看，當時台灣的房地產開始飆漲，地價整整高出一倍。「我自己整整迷惑三天，這樣做到底對不對？一年來學做模具很辛苦，又看不到成績，」郭台銘回想當時心情。

如果求近利，他還可以把模具廠賣掉，回去買地。但是一心想打出江山的郭台銘，始終沒有回頭。

成立第四年，鴻海的模具廠開始展現績效。後來鴻海陸續建立電鍍部門與沖壓廠，迅速拉開與同業的距離。

進入八〇年代，個人電腦工業起飛，黑白電視衰退。擁有模具技術的鴻海駕輕就熟，很快切進個人電腦連接器領域。

## 與國際大廠關係深厚

現在來看，與國際大廠間的深厚關係，是鴻海的一大資產。

鴻海的角色不僅於量產的上下游夥伴，更提升到共同開發、設計的階段。比如鴻海派人常駐英特爾，開發的連接器幾乎與英特爾的新規格同步，這種優勢更加穩固鴻海的地位。

鴻海從連接器跨足準系統因此水到渠成。「同樣的客戶，鴻海能提供完整服務（total solution），當然更有吸引力，」一位同業主管指出。

然而這種關係無法速成。從以前到現在，郭台銘經營客戶，就跟他經營鴻海一樣剽悍。

以爭取康柏爲例。一九八七年，康柏在台灣還沒有國際採購處。郭台銘拋下董事長身分，把台灣公司交給弟弟郭台強，隻身赴美。他提著公事包賣連接器，起初頻頻吃閉門羹。但是他的做法讓康柏無法忽視。郭台銘不惜在康柏的休士頓總部旁設一個成型機廠，康柏只要有新設計，最快當天就能看到模型。

到今天爲止，鴻海與康柏的關係超過十年，但是郭台銘經營客戶關係的悍勁未曾稍減。一九九九年四月，鴻海宣布斥資三千萬美元，委託康柏建置企業資源規劃系統（ERP），這個金額就比康柏其他在台代工夥伴都高。換算成近十億台幣，令同業咋舌。

康柏正積極走向電子商務與服務，鴻海這個動作，無異將雙方關係更推進一層。

## 以身作則　獨裁為公

郭台銘性格強勢，毫無疑問是個強勢領導者。在他的思考中：「民主是最沒有效率的。民主是種氣氛，讓大家都能溝通。但是在成民主是種氣氛，讓大家都能溝通。
但是在成長快速的企業裡，
領袖應該帶著霸氣。

長快速的企業裡，領袖應該帶著霸氣。」

所以鴻海的決策速度很快，往往幾個人就能做出決定。同樣的豪邁，對人，郭台銘很捨得給，同業因此飽受壓力。「我們不是不知道誰是人才，只是出不起價錢，」一位同業董事長感嘆。

他也捨得投資養成人才。鴻海內部有個非正式的「鴻海大學」，到處都掛著課程表。鴻海員工每年都有必修學分，連線上作業員都不例外。

這與郭台銘個人習慣有關。郭台銘主導鴻海策略，卻沒有犯過致命錯誤，因爲他勤於拜訪客戶，了解趨勢，而且非常好學。一位外商公司總經理就說，早期郭台銘常拉著他聊天，動輒數小時，爲的就是想知道外商公司怎麼運作。

對管理，郭台銘的原則是「以身作則，獨裁爲公」。他每天開會馬不停蹄，長時間工作，員工跟著不敢稍懈。「鴻海的業務員，沒有回家吃晚飯的權利，」一位資深業務經理說。

## 不戰而屈人之兵

掌握技術、市場與人才，郭台銘面對競爭對手的強悍策略，爲他打出天下，但也引起同業對鴻海殺價、挖角，以及喜歡興訟的強烈批評。

一位外商主管提起鴻海的殺價氣憤填膺：「鴻海殺得別人完全不能招架，就像打殲滅戰，」他憤憤地說。

幾位同業一致指出，鴻海產品線廣，橫跨連接器與機殼、線纜、光碟機，非常擅長用「搭配銷售」。在某些種類產品上，鴻海賺取超高利潤，其他的連接器不惜流血輸出。「等於是買蘿蔔送蔥，」業內人士指出。

產品單純的小廠，因此被殺得節節敗退。要不，就得成爲鴻海的協力廠，提供鴻海零件。

對這些批評，郭台銘並不接受。郭台銘否認鴻海是價格殺手，而且引用《孫子兵法》中說的「不戰而屈人之兵」，認爲殺價是下策。但話鋒一轉，他指著辦公室裡手握春秋、大刀立在一旁的關公塑像說：「今天還是看春秋、比謀略的時候，等我要動到關刀時，大家就慘了。」

儘管許多同業不認同郭台銘的作風，但他們也都同意，沒有鴻海的強勢競爭，台灣不會在連接器上佔有這樣的地位。正如郭台銘所言：「我是把外國的生意拉到台灣做。」

某個角度看，鴻海變成刺激傳統連接器業進步的動力。一位後進公司的年輕主管就說，鴻海今日的規模，多少爲他立下了未來奮鬥的目標。

## PC變成機械業

現在，所有人最關心的問題都是，郭台銘的下一步要怎麼走？

主機板與系統廠都是鴻海的客戶，鴻海如果介入，無異與客戶競爭。郭台銘始終否認，還特地召開記者會澄清。

如果鴻海真的進入系統，簡明仁評估，最先衝擊的也是低價、低階的電腦市場。鴻海做零件，核心技術在機械，與系統需要的電子技術不同。

但郭台銘對鴻海的思考，其實建立在他對趨勢的判讀上。他認為，當電腦整合的腳步愈來愈快，主機板設計愈來愈簡單，整台電腦只剩下幾個重要零件、組合起來就完成的時候，PC就不是電子業，而是機械業了。以鴻海過去打下的機械、模具根基，「那時候，不用我們去找，客戶也會自己來找我們。」

到那一天，會是怎樣的局面？國內一位前三大主機板廠主管評估，以郭台銘過去的強悍霸氣，一定會重組系統產業版圖。

對郭台銘而言，怎麼讓鴻海順利轉戰新戰場，將是繼鴻海崛起後的下一個挑戰。

# 第五章 小零件攻第一

在摘下個人電腦連接器的世界第一後，一九九九年，鴻海精密更成為全球最大的電腦機殼供應商。黑手總裁郭台銘，如何從小零件成功轉進高科技？

盧智芳

一九九八年底，鴻海精密與華碩、華通、仁寶一起進入美國《商業週刊》「全球高科技獲利最佳一百家」排行榜，排名第二十五的鴻海，在入榜的台灣公司內，僅次於華碩。

時隔半年，鴻海在《天下》雜誌一千大企業調查中，以高達一六七％的複合成長率，榮登營運績效最佳五十家排行榜第四名。

鴻海主要的產品是電腦連接器，在台灣數百家連接器廠商中，唯有鴻海是上市的大公司。「鴻海像個巨人，其他都是小朋友，」電子連接器產業升級促進會祕書長彭永權比喻。鴻海不僅用自有品牌「FOX CONN」在個人電腦連接器攻下世界第一，繼一九九六年轉戰電腦機殼市場，一九九九年也將成爲全球最大的機殼供應商。

鴻海的成功，源自總裁郭台銘的眼光和氣魄。

## 在小零件上深耕技術

連接器是電子產品不同組件間的配接裝置，型態多達數千種。最簡單的連接器，家庭式工廠就能生產，所以過去一直被當成傳統產業。又因爲牽涉到開模與射出成型，因此投入的多是中小企業與學歷不高的黑手老闆。

中國海專畢業的郭台銘也是黑手出身，但他的眼光卻和同業不

## 鴻海精密小檔案

董事長：郭台銘
公司成立日期：1974年
資本額：73.46億
98年營業收入：382.84億
98年稅後純益：55億
主要產品：電腦連接器、電腦機殼

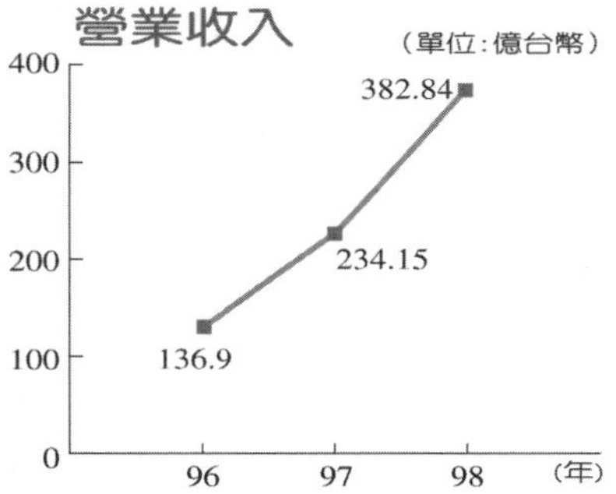


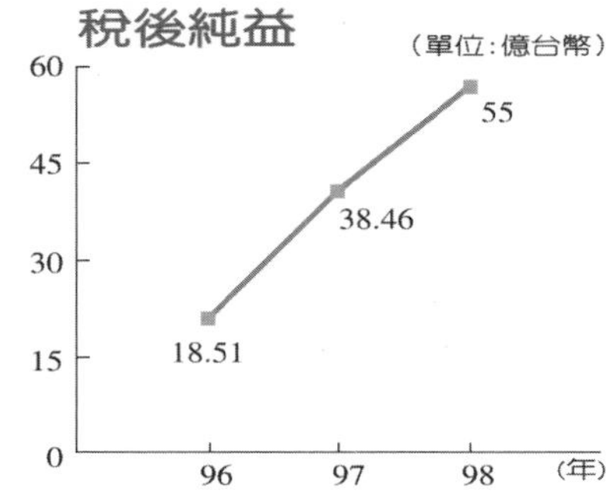

同。業界形容他有「水手般的開創性格」，一開始，郭台銘就決定在這個小零件上深耕技術。

一九七四年，郭台銘創立鴻海。最初幾年，鴻海也是個生產黑白電視機旋鈕的小公司，但在九〇年代初股票與房地產狂飆的時期，郭台銘卻獨排眾議，把營運資金全投在開發自己的模具廠上。這個當時同業眼中的笑話，事後證明大幅拉開了鴻海與競爭對手的距離。

個人電腦產業起飛後，鴻海轉做電腦用連接器。由於掌握大部分相關模具技術，鴻海因此成爲國際大廠來台下單的第一選擇。現在全球前四大電腦廠中，康柏、戴爾和惠普都是鴻海的客戶。

就像華碩與英特爾結盟，掌握規格成爲主機板霸主，鴻海透過與這些國際大廠間的深厚關係，往往能搶先知道技術趨勢。譬如，鴻海派人常駐英特爾，因此開發的新連接器與英特爾的新微處理器規格幾乎同步。這種優勢讓鴻海地位更形穩固。

## 愛才不惜代價

郭台銘也不惜投入巨資強健體質，提升實力。

就以高科技業最重視的人才來說，郭台銘是有名的「愛才不惜代價」。一位鴻海集團的離職主管透露，郭台銘很「肯給」，除了授權，對表現好的員工，待遇絲毫不遜於科學園區的明星產業。

基層出身的郭台銘對各種模具瞭若指掌，對研發重視也持續至今。鴻海在美國有兩百多個研發工程師，土城廠內有四百位，這是業界規模最大的研發團隊。鴻海發言人林志雄說，郭台銘重視技術培訓，甚至連線上作業員每年都有訓練必修學分。

目前，鴻海的最大客戶是康柏電腦，佔三成以上業務比重。一九九九年四月，鴻海不惜投入三千萬美元，委託康柏爲鴻海建置企業資源規劃系統。除了加強雙方關係，更重要的是，「他要讓鴻海更符合未來高度競爭的環境，」台灣康柏電腦行銷部副總經理蔣群儒觀察。

一九九八年鴻海快速成長的動力，除了來自連接器本業，還包括在準系統市場（指將電腦機殼、電源供應器、軟碟機等先行組裝再出貨）大有斬獲。

資策會產業分析師許耀輝分析，鴻海的策略是利用技術及客戶關係的優勢，進行多角化，提供顧客整合採購的服務。

## 最大對手是自己

在鴻海的準系統版圖中，除了自己的連接器及機殼，還大量轉投資相關產業。包括電源供應器的高效、康舒；印刷電路板的恆業、華虹。最近入主廣宇，又納進線纜及光碟機。

鴻海的本業扎實，未來影響最大的變數，外界反而認爲是郭台銘的接班問題。在經營團隊中，「看不出來誰特別有希望，」一位熟悉內部人士指出。但這對正當壯年的郭台銘來說並非急事。他曾發下豪語，鴻海營業額衝破百億美元才考慮退休。這相當於台灣第一大製造業——中油的規模。

短期內，競爭對手很難超越鴻海在電腦連接器及準系統上的地位，「套句阿扁的話，他（郭台銘）最大的對手就是他自己，」彭永權半開玩笑地形容。

雖是玩笑，卻道破郭台銘與他一手建立的鴻海，未來要不斷超越自己，維繫高成長的最大挑戰。

# 第六章 軍事化管理 打贏商場硬仗

企業文化通常反映領導人特質，
郭台銘的強勢性格，形塑鴻海的企業文化。
軍事化管理使鴻海雖然不斷擴張，
卻始終維持驚人戰力。

盧智芳

實力打造聲望。

二〇〇一年十月《天下》雜誌標竿企業聲望調查中，以霸氣著稱、在全球攻城掠地的鴻海精密董事長郭台銘，不僅再度進入前十大「企業家最佩服的企業家」，鴻海在各項指標的排名也大幅攀升，其中又以營運績效，最引人注目。

## 驍勇善戰、紀律嚴明的軍事家

由個人電腦連接器起家，如今鴻海版圖不僅延伸到準系統，更跨足先進的光通訊領域；生產據點則從土城工業區裡不起眼的舊廠房，擴充至深圳龍華數萬人的巨大廠區，建立東橫跨兩岸、西連線英美的全球布局。

如此複雜龐大的組織，如何維持績效、統整步伐？

從白手起家的黑手，到成爲產業舉足輕重的鉅子，了解郭台銘的人都說，與其形容他是成功的企業家，倒不如說他是驍勇善戰、紀律嚴明的軍事家。

「陽剛、斯巴達、扁平式組織，」一位鴻海主管則一口氣連用了三個形容詞。

企業文化通常反映出領導人特質，郭台銘的強勢性格，形塑出鴻海的軍隊文化。不同於新世代企業講求自由隨意，鴻海更重視目標與效率。

## 嚴謹的表單管理

在鴻海，郭台銘身兼總經理，直接指揮公司策略。他主持會議，把大小主管找來，從早開到晚是常有的事。「他總是每個步驟翻來覆去演練，一個環節、一個環節去挑剔，每個細節都要清清楚楚，」一位鴻海主管指出。

郭台銘最常說的一句話就是：「走出實驗室，沒有高科技，只有執行的紀律。」

而要確保執行無誤，郭台銘定義：「系統，等於流程加上表單」，鴻海內部有嚴謹的表單管理。這位主管舉例，連郭台銘直接下令要高級幹部出差，每天工作細項都不能疏漏，否則通不過行政部門。

## 嚴厲不嚴苛

郭台銘尤其要求責任歸屬分明，只要簽字，就要負責。對不能負責、不能要求部下及時做對的主管，「我不只是讓你罰站就算了結，我會把你的職務立即拿掉！」他在一次內部講話中嚴厲指出。

如此的軍事化管理，使鴻海雖然不斷擴張，卻始終維持驚人戰力。

而員工看郭台銘，則是又敬又畏。持平地說，他雖然嚴厲，卻不嚴苛。郭台銘自己每天經常工作十五小時，餓了就以泡麵果腹，工作起來比誰都拚命。

爲了不斷追逐更高的山峰，客戶眼裡，郭台銘外號「low cost Terry」，但他對研發與優秀人力的投資，卻是不計成本、不遺餘力。

二○○○年爲搶進光纖科技，鴻海以年薪三千萬高價延攬人才的手筆，在業界喧騰一時。鴻海在美國南加州 Cypress（賽波斯廠）與北加州 Fremont（佛里蒙）的基地，更分別是研發連接器與光機電的大本營。

## 獨特的領導魅力

開疆拓土的雄心壯志，構成郭台銘獨特的領導魅力，因此即使鴻海是如此高壓的工作環境，仍能不斷吸引人才投入。

不過，優勢與劣勢之間，經常只有一線之隔。鴻海與郭台銘幾乎是同義詞，除了外界經常關心的接班問題，郭台銘的一位業界老友也意有所指地說：「如果CEO（執行長）太傲，過分高估自己，企業就有走下坡的危機。」

企業經營永無止境，江山代有浮沈，這句話也值得所有CEO警醒。

## 高科技業的現代蘇武

張殿文

「他一定要帶老婆上來，才能領這價值兩千七百萬的股票！」鴻海集團總裁郭台銘在台上這樣宣布時，全場四千多名員工的目光齊落在看台上。只見中獎的工程師身旁那位害羞的太太也起身，兩人一起奔赴台上。

二〇〇二年二月九日，鴻海舉行了一場別開生面的「尾牙」。這場以「創新」和「感恩」為主題的歲末聯歡會，在摸彩時達到最高潮。這位工程師得到由郭台銘親自摸出的「董事長特別獎」──第五獎「龍馬精神」：鴻海股票十五萬股，也就是一百五十張鴻海股票。如果依二〇〇一年股市封關時鴻海每股一百七十八元計算，這十五萬股的市值高達兩千七百六十萬！

在年終尾牙摸彩中能創造一個千萬富翁，可能也只有台灣第一大民營製造公司鴻海，才有這樣的氣魄。鴻海二〇〇一年營收達一千四百四十二億台幣，已經超越台積電的一千三百三十六億，確定榮登民營第一大製造業寶座。

這位得獎的工程師是廖萬誠，服務於鴻海的個人電腦（PCEG）部門。為什麼郭台銘非要讓廖萬誠的太太一起分享這個榮譽和幸運呢？

## 堅守生產線

當郭台銘看見摸彩券上印著廖萬誠的名字時，點了點頭，透露了一個一年前的小故事。原來廖萬誠在二〇〇一年應該已經提出辭呈、離開鴻海的大家庭，原因是他不想被「冷凍」在台灣，而希望能回到大陸的生產線上，和以前的弟兄一起解決問題。

廖萬誠之所以被郭台銘留在台灣，是基於健康考量。廖萬誠在鴻海為員工所做的「全身核磁共振掃描」檢驗當中，發現心律及肺部都有病症。郭台銘基於愛護之心，不忍讓他回到生產線上和時間拚戰，就讓他留在台灣研發中心工作，一面訓練研發生產人才，一面調養身體。沒想到一年之後，廖萬誠竟然提出辭呈。

廖萬誠曾在德州儀器擔任生產線總監長達二十五年，之後轉往鴻海，二〇〇二年是他在鴻海的第六個年頭。郭台銘看見他的辭呈之後馬上召見他，廖萬誠表示，辭職是因為不想留在台灣：「我的身體已恢復過來，回到第一線工作沒有問題。」

當時郭台銘覺得非常為難。他固然希望經驗豐富、戰鬥力十足的廖萬誠重回趕貨現場，卻又擔心他的身體過於勞累，如何向家人交代？於是郭台銘說：「請你太太來吧，如果你太太同意，我就同意你回到生產線。」

## 不工作比生病還痛苦

或許郭台銘認為，這是打消廖萬誠這個念頭最好的方式。沒想到，在郭台銘的辦公裡，廖萬誠的太太說：「我和他結婚三十年，知道不讓他工作，比讓他生病還痛苦，我寧可讓他工作。」

這句話，恐怕是許多鴻海員工眷屬的心情。也是靠這些「不工作比生病還痛苦」的「工作狂」，建立了鴻海的霸業。包括了郭台銘自己在內，就曾在接受《e天下》專訪時透露指出，他常常在過年的時候生病——因為過年有三天不用上班，只要一不工作，他就容易生病。

只不過，這些「工作狂」的家屬，要多一份忍耐和包容。鴻海尾牙現場播放了一部紀錄片，回顧鴻海近二十八年來的成長史。片中特別提到鴻海的外派幹部，長年駐紮大陸、美國、歐洲，從深圳、杭州、北京，到加州、蘇格蘭、捷克。也難怪這部片中，稱鴻海的外派幹部是一群高科技產業的「現代蘇武」——不是放羊，而是遠離家園、忍受不同環境、打造出一樣的產品交貨品質。

也難怪，在以「牽手」為主題曲的影片結束後，台下許多員工眷屬都紅了眼眶——包括坐在郭台銘身旁的妻子林淑如——她們都能體會「現代蘇武」的妻子是什麼滋味。事實上，台下許多平時四處征戰的幹部，也不顧「大男人」的形象偷偷擦眼淚。也難怪，在全程超過七小時的歲末聯歡會上，郭台銘兩度九十度鞠躬，向辛苦了一年的員工及家屬感謝。

「工作狂，其實很有安全感呢，」廖萬誠的太太指出，雖然她和小孩看見爸爸的時間不多，但是習慣之後，心裡反而踏實。第一，先生這麼愛工作，一點也不用擔心會失業；其次，工作狂最不喜歡在外面應酬，這點讓她也很放心。

## 見證走向世界級的點滴

但令人好奇的是，廖萬誠在德儀已經工作了二十五年，為什麼在鴻海還是有動力成為「工作狂」呢？

「我其實也沒有想到，進入鴻海之後，可以讓我學到這麼多東西，郭董對於產品的轉型策略和遠見，讓我大開眼界！」廖萬誠坐在二樓的看台上，回想進入鴻海六年多來、親眼見證鴻海走向世界級的點滴。

在這場以「感恩」和「創新」為主題的歲末聯歡會上，郭台銘不但連連對員工和客戶表示「感恩」，更將宣示鴻海「創新」的決心，希望將鴻海從「製造的鴻海」，轉型成為「科技的鴻海」。

事實上，二○○一年時郭台銘就曾對媒體表示，五年內至少要成為全球前五大EMS（電子專業製造服務廠）；二〇〇二年，鴻海已是第六大。

看來，鴻海今年尾牙的摸獎總額高達兩億兩千萬元、再加上臨時捐出的數千萬獎項，公司雖然「大出血」，但是能吸引這麼多人才為他拚戰，郭台銘還是最後的贏家！

# 爭霸全球

# 第三部

# 第七章 要做就做世界級

張戌誼、張殿文

在「要做就做世界級」的自我要求下，以精密模具起家的鴻海如何一路轉戰衝刺，成為連接器和準系統的全球級大廠？鴻海的三大策略如何讓它在高科技業激烈的競爭下，快手布局，爭霸全球？獨創的CMM代工模式，又為何讓競爭者為之側目？

「做企業，眼睛必須緊盯全球top 2（前兩名），要做就做世界級的領導廠商！」

站在辦公室巨幅世界地圖面前，郭台銘開始詮釋他的利潤角逐法則：「一個產業裡，做第一名才可以穩定賺錢，第二名有點錢賺，第三名損益打平，第四名隨景氣沈浮，第五名之後，要不等著被收購，要不就是被淘汰出局。」

「要做就做世界級」的自我要求，讓以精密模具起家的鴻海，一路轉戰衝刺到連接器和準系統（barebone）的全球級大廠。

「要做就做世界級」的哲學，也促使鴻海堅持與國際一流的系統大廠結盟：例如蘋果（Apple）、康柏、戴爾、IBM等電腦大廠；思科（Cisco）、諾基亞（Nokia）等通訊大廠，以及消費電子大廠新力（SONY）等，都是鴻海重要的策略客戶。

如今，鴻海企業集團的全球版圖，已經橫跨亞洲、美洲、歐洲。

是什麼樣的策略，讓鴻海在高科技業激烈的競爭下，快手布局，爭霸全球？

鴻海爭霸全球的布局，依三大策略進行：一地設計、三地製造、以及全球交貨。

## 與客戶共舞

「這三點就是鴻海贏的策略精髓，」進入鴻海近十年的鴻海中國內銷產品事業處處長顏鴻強調。而鴻海能得到許多國際級的大客戶青睞，第一個優勢在於鴻海能全力配合在重要策略客戶的附近，設立研發設計、工程測試、快速樣品製作的機制，以便與客戶同步開發新產品，使產品儘速量產上市，就是所謂的「一地設計」。

例如，只要英特爾推出新一代CPU，鴻海立即能與之配合，共同發展出與新一代CPU匹配的連接器架構，英特爾也會指定優選的主機板合作廠商來做測試。

表一　鴻海集團全球布局圖

靠近客戶的研發總部，設立鴻海研發設計與製作快速樣品的能力，便於新產品設計的變更，以爭取客戶對鴻海新開發產品認證的第一時間，縮短新產品的開發時程。「鴻海可說是做到家了

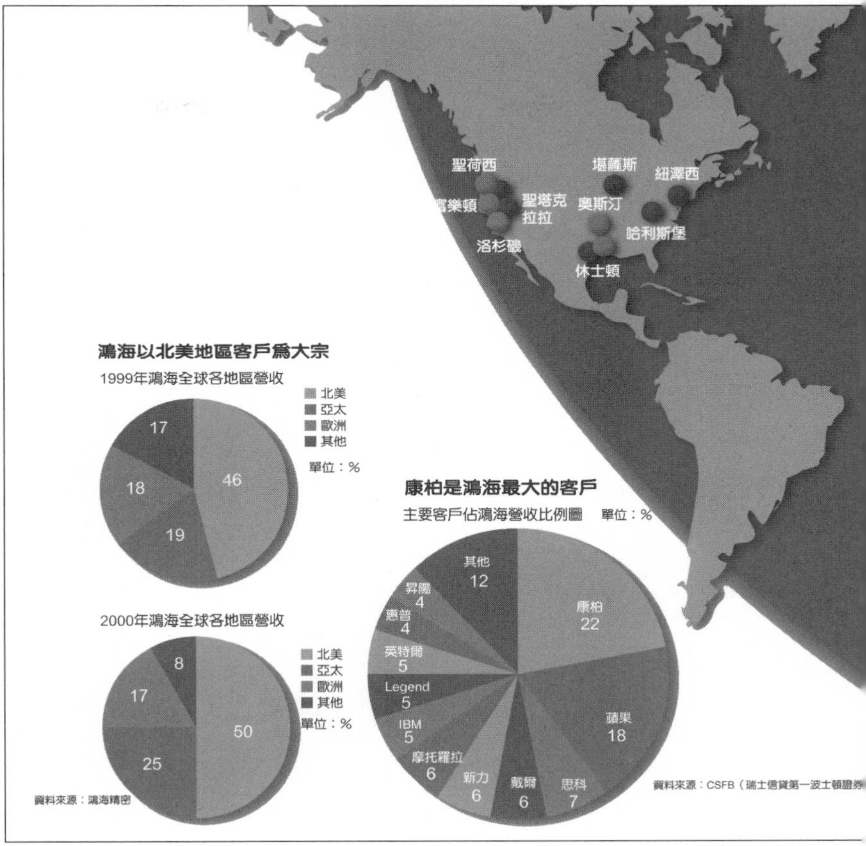

資料來源：CSFB（瑞士信貸第一波士頓證券

（客戶總部），能與客戶做到最短距離的溝通，」顏鴻表示。

鴻海也在進一步建立全球二十四小時遠程互動設計的能力。例如，透過全球資訊網路，位於美國西岸工程單位下班後，可以將設計重點告知遠在台灣或大陸的設計工程師，繼續以接力賽的方式完成設計，甚至做出樣品實體。

## 垂直爬升的戰鬥機

「郭台銘向來是不出手則已，一出手一定勢在必得！」台灣一位高科技公司的總經理感嘆，鴻海在卡位布局、產品快速量產上，常常壓得競爭對手喘不過氣來。

鴻海讓同業害怕的，正是在技術、交期、品質、價格上，難以與之抗衡。同業害怕郭台銘，郭台銘卻不以爲然：「我只是還給客戶一個公道。至於有實力的廠商也不必怕我，競爭是市場的自然法則，下棋也得棋逢對手，棋賽才會精采。」

「三地製造」，就是鴻海贏得客戶青睞的一大法寶。在新產品獲得認可之後，鴻海能在最短的時間內在亞洲、北美、歐洲三個主要市場

我只是還給客戶一個公道。有實力的廠商也不必怕我，
競爭是市場的自然法則。

的製造基地，布置生產所需的採購、製造、工程、品管等各項能力，並能依據客戶的市場需求遞增，快速地擴充產能，滿足客戶需求快速爬升的需求。

「這就像一架戰鬥機的性能測試，它考驗你是否能用接近九十度的垂直仰角，而且還能以數倍音速向上攀升，而不失速故障。客戶選擇與鴻海合作，這是一個考量重點，」郭台銘對鴻海的這項全球化能力相當自豪。

## 靠速度趕上消費潮流

事實上，至二〇〇一年中，鴻海在亞洲、北美洲、歐洲，已經完成了量產製造的建置，包括大陸的深圳和昆山，美國的洛杉磯、休士頓，歐洲蘇格蘭、愛爾蘭和捷克等地。

亞洲、歐洲、美洲三地製造，就像是接力賽跑，第一棒在跑，第

二棒已在暖身，第三棒也在做準備，能夠爲客戶在最短的時間內做量產的準備。例如，當初蘋果電腦的新產品 iMAC II 剛在紐約展覽會上由蘋果電腦執行長賈柏斯（Steve Jobs）向世人展示，第二天就如雪片飛來幾十萬台的訂貨單，蘋果電腦怎麼快速滿足這些訂單呢？它最終下單給鴻海。

顏鴻解釋，科技資訊產品不是冷冰冰的東西，它必須符合新鮮（fresh）、時尚（fashion）、實際功能（flesh）的消費潮流。但你要趕上流行，他強調，就必須靠速度。

顏鴻舉例：例如當初風靡一時的「電子雞」，剛開始上市，市場爲之瘋狂，卻沒貨；但如果你慢吞吞開發完、再開始量產之後，市場已經冷寂了。「快的人吃市場，慢的人被庫存吃垮」，顏鴻一語道破市場競爭的殘酷。

## 要貨有貨，不要貨時零庫存

鴻海以精密模具起家，它的每一個製造基地都建立起快速的模具設計製造與維修能力。走進鴻海大陸深圳模具廠，記者被告知這裡是大陸最大的模具廠，擁有近三千名模具技師，模具製造的各項流程，都能在同一個屋簷下完成。

走進鴻海在大陸最大的基地深圳廠，「鴻富錦保稅工廠」的招牌赫然入目。

這是鴻海爲加速全球物流通關速度而創造的一個運作方式，也是在大陸海關新的聯網監管模式下運作的第一家保稅工廠。大陸海關還把這種EDI電子數據交換報關系統，做爲一項重大的改革予以推廣，從這裡可以見到鴻海在全球交貨機能建置上的專業程度。

企業活動從研發、行銷、製造，一直要到及時交貨給客戶，把錢收回來，才算打上一個句號。郭台銘強調：「賺不賺錢，客戶最後付款給你才算數。」貨物放在自己的工廠或中途發貨倉庫，只能算是負擔，不能算收益。顏鴻指出，交貨就是「適品、適時、適質、適量」把貨交到客戶指定地點。因此，全球物流追蹤系統，永遠是鴻海ERP系統最先要完成的項目。

郭台銘的想法是：貨物不管是物料、零件、半成品還是成品，只要停留超過十五分鐘以上者，就應該設倉管制，也就應該能從電腦上查得到這批貨物的即時庫存資訊。

這也是郭台銘對倉庫庫存資訊系統的檢驗標準，簡單卻具挑戰性。例如，鴻海投入三千萬美元與康柏合作開發的全球ERP系統，不僅要求其反映出即時的眞實生產管理資訊，還要求發揮管制效果。例如，歐洲的採購人員要買一個零件，但查到亞洲的某一個倉庫還有這個零件的呆滯庫存，歐洲採購人員就應該被系統「強制性」不准下企業經營者要善於選擇、判斷、決策。我只要做好六件事：選客戶、選產品、選人才、選技術、選股東，以及選策略夥伴。

單，而應把亞洲倉庫內的零件調撥歐洲使用。

郭台銘認爲，許多大型高科技公司會垮掉，往往不是因爲開發不出新產品，而是因爲不能貨暢其流，受庫存所累。

## 選擇客戶是首要任務

「企業經營者要善於選擇、判斷、決策。我只要做好六件事：選客戶、選產品、選人才、選技術、選股東，以及選策略夥伴，」郭台銘強調。這「六選」中，「選擇客戶」是第一要務。因此，鴻海一直緊盯一流客戶。郭台銘認爲，只有一流客戶，才可能帶來一流的產品，鴻海才能練成一流的本事。

「我其實每天都花很多時間了解客戶，要看客戶有沒有長期的企圖心，以及他們的策略、未來的願景，我比客戶自己更關心客戶，」郭台銘表示。

在「選人才」方面，鴻海一直有系統地培養技術人才和管理幹部。例如，鴻海一直對自己的製造技術信心滿滿，就得力於鴻海在全球製造大軍中，長期淬煉出的一大批技術精英。鴻海的年輕技術幹部，主要來自從一九九六年就在兩岸不斷開辦的所謂「世幹班」和「新幹班」等。鴻海海外的蘇格蘭、愛爾蘭、捷克等廠區，每年也招募一定規模的幹部訓練班。

## 不怕「嫁不出去」

培養國際性人才，是鴻海近年大力投資的方向。今天，鴻海不但能向國外輸出技術，還不斷將蘇格蘭、愛爾蘭、捷克等地的大學生招募到深圳龍華進行培養，從開發、製造到銷售服務的每一個環節，都進行細緻入微的訓練。

在「選股東」方面，郭台銘也有獨特的堅持。例如，郭台銘並不希望對鴻海不了解、沒有長期發展眼光的人成爲股東。他在股東會上總是強調，不能認同鴻海「長期、穩定、發展、科技、國際」未來願景的投資人，就「不要買鴻海股票！」事實上，鴻海長期以來的表現的確也沒有讓投資人失望：如果以十年爲週期看股票收益，自一九九一年鴻海正式掛牌上市以來到二〇〇一年六月底，股價已足足上漲超過五十倍！

然而，面臨全球高科技業的不景氣，鴻海會受到什麼樣的衝擊？「女兒漂亮，不怕嫁不出去！」對於鴻海的競爭力，郭台銘信心滿滿地說。他的信心，來自鴻海全球布局的製造與服務機能，經年累積的模具技術，以及和客戶合作開發新產品的技術能力。

## 獨創CMM代工模式

此外，郭台銘二〇〇一年股東會上首度對外發表獨創的「CMM」

表二　圖解CMM（Component Module Move）

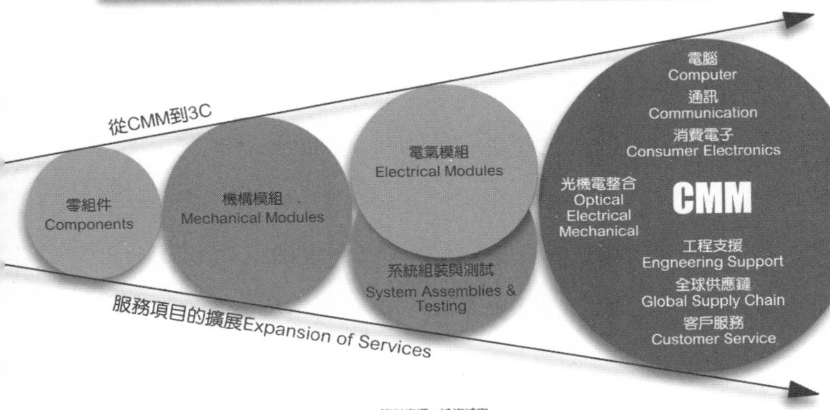


資料來源：鴻海精密

（Component Module Move）代工模式，更可能顛覆專業代工產業，造成重新洗牌。

CMM模式爲什麼足以讓全球電子專業代工的競爭者爲之側目？

在全球景氣低迷之下，能幫助降低企業成本、增加效率的「委外」（outsourcing）趨勢，更顯重要。

由最新一波購併整合，就能看出EMS（Electronic Manufacturing Service，電子專業製造服務）已進入「大者恆大」、「各就各位」的階段。

例如，二〇〇一年年初，日本新

力就將其全球的代工體系賣給了全球第一大ＥＭＳ廠旭電（Solectron），其中也包括了新力高雄廠。二〇〇一年三月，手機大廠易利信（Ericsson）也把馬來西亞廠賣給全球第四大專業代工廠偉創力（Flextronics）。

所謂ＥＭＳ，就是強在「製造服務」。其中「Ｍ」（製造）方面，根據資策會產業分析師周士雄指出，工廠的製造效率、物料管理、成本掌握、快速交件能力，絕非研發出身的工程師專擅。難怪，專業代工大廠星力達（Celestica），二〇〇一年成爲美國《商業週刊》「科技一百強」中的第一強！

在「Ｓ」（服務）方面，主要是從「共同設計」到「全球交貨」的整體服務能力。這也是台灣許多廠無法從「ＣＥＭ」（Contract Electronic Manufacturer，專業電子代工廠）進入到ＥＭＳ的瓶頸。

少了一個「Ｓ」，市場版圖就差遠了。像ＥＭＳ大廠旭電二〇〇〇年營業額就高達一百六十八億美元，相當於五千多億台幣。而根據資策會的資料，一九九九年全球專業電子代工市場約有三百億美元，約九千億台幣，二〇〇〇年約四百億美元，而且未來三年每年都將呈現二〇%的成長。

## 全面競爭時代來臨

現在，鴻海在大陸完成了練兵，極其快速地運兵遣將，在歐洲、美國設立據點，運作廠房，和客戶一起「joint design」（共同設計）、快速開發樣品及進入量產。很多人這才明瞭，原來在朝向全球專業代工大廠之路，鴻海已經完成策略布局。

郭台銘獨創的CMM模式，簡單地說，是一種全面競爭的能力。這個模式的精髓，顏鴻詮釋，在於「我又具備價格競爭力，卻又沒有少賺！」

對於這個獨創模式，郭台銘相當自豪。有趣的是，一直到現在，鴻海仍提供全球前十大專業代工廠關鍵零組件。一名曾待過美國旭電業務部門的業界人士就指出，現在大家雖然知道鴻海也要進來搶吃市場大餅，但還是得和鴻海做生意，因爲鴻海的材料又便宜又好，可以增加本身競爭力。

由於難免要跟部分的客戶「搶生意」，一位業界的高階經理人指出：「這也是一著險棋，要看鴻海從連接器切入，佔主機板成本的關鍵性有多大。」

但這就是一次重新洗牌的開始。郭台銘一向以不斷改寫遊戲規則稱霸業界。「全球性的競爭，『大者恆大』，這是一場從城運、省運、國運、亞運，再到奧運的升級挑戰，」郭台銘說。

提升全面競爭力的新時代，鴻海的全球爭霸之路，已經鳴槍。

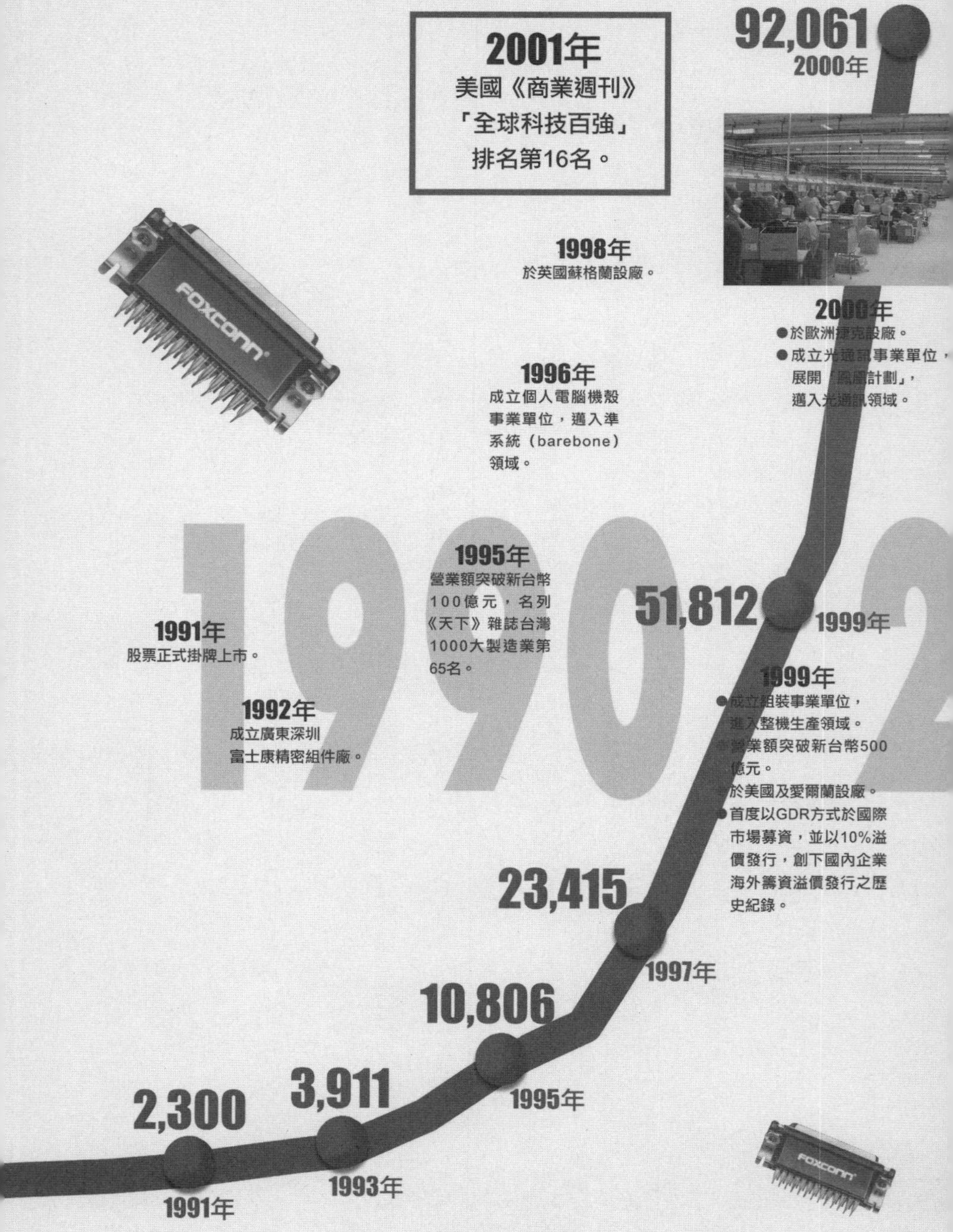
2001年
美國《商業週刊》
「全球科技百強」
排名第16名。
92,061
2000年
1998年
於英國蘇格蘭設廠。
2000年
●於歐洲捷克設廠。
●成立光通訊事業單位，
展開「鳳凰計劃」，
邁入光通訊領域。
FOXCONN
1996年
成立個人電腦機殼
事業單位，邁入準
系統（barebone）
領域。
1995年
營業額突破新台幣
100億元，名列
《天下》雜誌台灣
1000大製造業第
65名。
51,812
1999年
1991年
股票正式掛牌上市。
1999年
●成立組裝事業單位，
進入整機生產領域。
●營業額突破新台幣500
億元。
●於美國及愛爾蘭設廠。
●首度以GDR方式於國際
市場募資，並以10%溢
價發行，創下國內企業
海外籌資溢價發行之歷
史紀錄。
1992年
成立廣東深圳
富士康精密組件廠。
23,415
1997年
10,806
1995年
3,911
2,300
1993年
1991年
FOXCONN

## 表三 爆發性成長的歷史軌跡

**1974年**

投資資本額新台幣30萬元，成立「鴻海塑膠企業有限公司」，生產加工製造塑膠成品。主要產品為黑白電視機用之旋鈕；當時員工人數15人，月營業額為新台幣8萬元。

**1975年**

改名為「鴻海工業有限公司」，生產電視機用高壓陽極帽組件。

**1976年**

遷移工廠至板橋市中山路

**1981年**

成功開發連接器產品，正式進入連接器領域。

**1982年**

投資資本額新台幣1,600萬元，更名為「鴻海精密工業股份有限公司」，進入電腦用線纜裝配領域。

**198**

年營業額

新台幣10

**1985年**

成立美國分公司，創立FOXCONN自有品牌。首度名列《天下雜誌》台灣製造業1000大。

年營業額

單位：台幣百萬元

285

1985年

資料來源：鴻海精密

# 第八章
# 在全球與客戶共舞

鴻海的全球版圖橫跨亞洲、美洲、歐洲，
它的美國休士頓廠、富樂頓廠、賽波斯廠，
以及北加州的光電研發中心和生產線，
如何助鴻海做到世界級？

張殿文

### 布局一：美國休士頓廠

## 落實「共同設計」的典範

全球PC第二大公司康柏總部位於美國德州休士頓，鴻海就在康柏總部附近設廠，以落實「共同設計」理念。在洋溢西部文化的德州，鴻海休士頓廠如何成為高科技「牛仔精神」的推手？

和台北一樣熾熱的陽光，灑在德州二四九號高速公路上。就在公路旁一家叫「KIRIN」的日式料理店裡，時而會發現許多台灣資訊界的重量級人士，正在裡面用餐。

「KIRIN」能常吸引台灣資訊界人士出入，是因爲它坐落在休士頓機場通往全球第二大個人電腦公司康柏總部間必經的「朝聖之路」。根據經濟部的資料，康柏光是二〇〇〇年就向台灣採購高達九十五億美元的電腦，等於超過三千億台幣。難怪台灣電腦大廠決策人士，每年一定要跑幾次休士頓親自登門拜訪，以便了解這個超級客戶的最新需要。

（黃大川攝）
■鴻海休士頓廠是落實「共同設計 」觀念的典範。

鴻海更是貫徹這種服務客戶的精神。在距離康柏總部不到十英哩之處，鴻海直接打造一個衛星工廠，以便爭取時效、就近服務。

今天鴻海的休士頓廠，已經不是一九九二年時只有幾個人的業務辦公室而已：包括了組裝、機殼、系統等事業群，都有各單位專責主管親自進駐；加上「Hub」（物流中心）的成立，試圖讓物流的規模和生產的資訊流結合，發揮最大的綜效。

## 牛仔精神的推手

「休士頓不只是最接近客戶的中心，也是鴻海落實『joint design』（共同設計）觀念的典範，」郭台銘清楚點出了休士頓廠在鴻海全球布局中的定位。

事實上，德州可說是全球個人電腦製造及決策的中心。除了在休士頓的康柏，戴爾電腦的總部也在德州的奧斯汀。如果說德州的精神是西部牛仔文化的衝勁，鴻海則提供讓客戶衝得更快、更穩的服務。

爲什麼鴻海有這樣的服務優勢？

鴻海德州休士頓廠副總經理楊人捷解釋，所謂共同設計是指，了解客戶需要，使客戶在構思產品的階段，就能從「材料的選擇」、「生產的流程」甚至「市場趨勢」等，加入了製造服務提供者的意

（黃大川攝）

■鴻海休士頓廠距離康柏總公司不到十英哩，就是為了提供康柏這個大客戶最近、最加值的服務。

見，讓產品更快從開發、試產進入量產階段，一舉佔有市場。

## 落實「一地設計」

「在我們自己的廠裡，可以和客戶一起做出主機板的樣品，」休士頓廠一位產品開發主管指出，共同設計的第一個好處，就是加速未來量產的時間，做到「一地設計」以及所謂「time to market」（即時進入市場）的境界。

伺服器的組裝就是一個例子。在伺服器的組裝方面，即使是在準系統還沒有裝上主機板前的組裝層次，內部就有高達八十件鐵件和二十件塑膠件。這意味電腦內部的各種零組件如何互相搭配，找出最好的設計，才能把零件放在一起（像是風扇要如何放、電磁波會不會干擾、洞孔要如何打），讓模組可以壽命最久、最適合組裝，是個相當複雜的學問，也需要多年經驗的累積。

「我們光是一台伺服器機殼的ＥＣＧ（Engineering Change Note，工程變更紀錄）就高達八百多頁、厚厚的兩大本呢，」休士頓廠一位專案研發經理指出。所謂ＥＣＧ是指，一項產品從設計到量產中，所有的變更都要記錄原因。他舉例，鴻海和康柏共同設計的過程中，基於鴻海累積的豐富組裝經驗，讓康柏很多產品的設計都能及早變更，以便未來進入量產後效率更高。

平時我們用的一部個人電腦，光是十五件鐵件的組合，就已經考驗設計能力，更不用說是標榜「永不當機」的商用伺服器，它的背板比一般電腦還要厚，通常直接鑽孔會造成變形。但康柏的設計師，等於直接使用了鴻海多年來在機構上開發的經驗。而基於過去豐富的經驗，通常美國機構模具公司開發一項模具要做十六個星期，鴻海只要六星期。

## 提供加值服務

經驗的累積和紀錄，讓鴻海能提供更加值的服務。以康柏為例：鴻海一開始就參與共同設計，從物料取得的難易，到作業員組裝時會不會割到手，都在這時考慮進去，以更快進入量產階段，這也是共同設計的最高境界。

站在德州異鄉的土地上，看著來自台灣的工程師們，以融合智慧的工業設計和快速應變能力，贏得美國大廠的尊敬，讓人感佩鴻海成功的背後，是一份對專業的重視。

距康柏不到十五分鐘的車程，有時鴻海的工程師也直接到康柏的辦公室與客戶一起工作。

「這家客戶是我們的全部，我們沒有退路，」一名鴻海休士頓廠的資深員工說。

雖然和康柏的關係緊密，鴻海也不因爲有靠山，而對降低成本掉以輕心。

## Hub讓庫存零負擔

二〇〇一年七月份才在休士頓開始成立的Hub，就是鴻海提供客戶快速服務、降低成本的一種營運模式。Hub，簡單地說，就是一個物流中心；但雖然和鴻海組裝的生產線只有一個大門之隔，只要貨一跨過大門，就要算帳。Hub可以靠出貨進貨的周轉率自負盈虧；更重要的是，它能讓客戶和組裝廠都達到庫存成本的「零負擔」。

一九八九年加入鴻海的全球供應鏈管理總監譚米．李（Tammy Lee），穿過剛安裝好的生產線大門，請操作員用投資高達上千萬美元的思愛普（SAP）電腦軟體、加上鴻海自行開發的作業系統，展示用電腦追蹤、預測庫存的功能。「未來存在我們這裡的零組件，不會超過兩天以上，」她極有把握地說。

目前一星期內約有八、九十個貨櫃進出，Hub 甚至可以發貨給其他電腦組裝廠。對客戶來說，Hub 可以讓他們了解零組件的供貨情況；對其他組裝廠來說，貨隨叫隨到，也可以免除價格波動的壓力。

但是，對 Hub 來說，這就是如何管理「資訊流」的挑戰。有著德州直爽風格的譚米・李表示：「鴻海要在休士頓繼續壯大，就要充分運用這種資訊流，來迎戰市場快速的變化。」

不同的文化，通常是跨國管理的挑戰。但是在休士頓，可以看到一種融合的默契。譚米・李就記憶猶新：五年前，爲了趕著機殼出貨給客戶，連董事長郭台銘和他的太太，都捲起袖子來爲客戶服務，「鴻海德州廠的文化，像一家人一樣，彼此爲對方著想，追求完美，而且一直到現在都沒有變過。」

看來，在對個人電腦景氣最敏感的德州，即使有再多的沙漠風暴，鴻海在烈日下，已經站穩了腳步。

# 大雁起飛降落的基地

## 布局二：美國富樂頓廠

身為鴻海集團機構設計及研發指揮中心的富樂頓廠，要讓鴻海這隻大雁的產品生產產量能機動地「起飛」和「降落」。

七月天，加州橘郡。在這裡，鴻海的富樂頓（Fullerton）廠，就好像提供大雁起飛和降落的基地，讓鴻海在景氣逆風中飛翔後，可以養精蓄銳，飛得更遠。

而所謂「起飛」，按照鴻海企業集團總裁郭台銘的規劃，指的是產品初期進入市場、開始量產，新產快速量產爬坡。這時，美國富樂頓的生產線搶先生產出貨、提高市佔率，可以幫助產品「穩定起飛」。等到產品穩定起飛後，再把生產線移到亞洲大量生產，繼續降低成本、維持利潤。

這樣的戰術思考，也影響富樂頓廠在生產線上多樣的精兵配置：在開放式的生產線上，有幾部最先進數位控制生產設備，也有混合了機械手臂的生產設備。富樂頓的廠長麥瑞明指出，從樣品到正式生產，「我們可以讓產品在最短時間內精確地起飛。」

事實上，鴻海已是全球重量級的電腦機殼廠：從最高級的產品像蘋果電腦機殼、最流行的電動玩具，一直到數位相機、ＰＤＡ、手機的機殼，無所不包。而以機構設計及研發實驗室爲主的富樂頓廠，正是鴻海機殼部門在最前線的指揮所。

（黃大川攝）

■鴻海富樂頓廠是全球機殼部門的指揮所（圖中為廠長麥瑞明）。

## 提供創意的服務

即使是夏天，加州入夜後氣溫急降至攝氏二十度左右。但走入富樂頓廠二樓的機殼設計中心，大部分人卻都還沒下班。

「這是懸掛式的電腦伺服器，我們認為這是未來電腦生活化、家具化的象徵，」一位長相面孔酷似華裔女歌手李玟的設計部人員，用英語介紹設計部門最新的產品，有的電腦外殼像樂高玩具、有的像麵包機。

「我們不但提供服務，也提供創意

的服務，」富樂頓廠PC機殼資深協理 Pouch Liang 強調。

在全球鴻海企業集團中，很少看見部門主管的辦公桌旁，會貼史努比的連環漫畫，但是在 Pouch Liang 身後看得到。這裡可以說是全球鴻海「最敢秀」的部門。但是和設計部門連在一起的塑膠模具部，則是連接理想和現實的地方，利用電腦輔助和經驗開出模具，讓創意可以眞的起飛。

這也是「共同設計發展」（joint design & development）的一部分：當構想成形、被客戶接受後，快速開發出模具。從美國加州富樂頓到鴻海其他亞洲生產基地，從空間距離來計算很長，但從時間距離來劃分卻很短，只是日夜的差別。

當美國提出模具設計構想並與客戶檢討後，到了晚上交給在亞洲的模具設計工程師，繼續完成模具設計圖面，並找出最好的材質和方式，第二天再交給美國富樂頓廠的工程師呈給客戶。這種兩地接棒式

（黃大川攝）

■富樂頓設計團隊，是鴻海全球「最敢秀」的部門。

的合作，讓鴻海的研發團隊能夜以繼日地爲客戶服務。而在機殼的塑膠模具方面，也有分快速模具、小量生產模具和大量生產模具。參觀膠模工廠時，能看見電腦程式的切割不休息地運轉、或是模具製程不停研發，從設計到開模，讓客戶有最多元化的服務。

除機殼製造，富樂頓也有組裝能力，在個人桌上型電腦的組裝上，也能支援旺季的出貨。

在全球競爭激烈的時代，速度的掌握就是一切。在下一個世代的產品出來時，得搶得先機，「穩定起飛」；當產品生命週期結束前，出貨量減少時，也得機動調減產量，「穩定降落」。在加州橘郡的富樂頓，看到了鴻海這隻大雁起飛和降落的基地。

## 布局三：美國賽波斯廠
## 999純金哲學

郭台銘「精確再精確」的「999」純金哲學是什麼？在南加州的賽波斯廠中，可以窺見鴻海在連接器領先的祕密。

（黃大川攝）

■鴻海賽波斯廠連接器研發團隊（右二為鄭禮明，右三為陳清龍 ）。

連接器是鴻海企業集團發跡的招牌產品。今天，鴻海已是全球連接器大廠，領先的祕密，由鴻海位於南加州的賽波斯（Cypress）廠可窺一二。

## 研發全為客戶

「許多都是客戶下一代的產品，所以我真的不知如何介紹，」領軍鴻海賽波斯廠的主管陳清龍強調，鴻海從不主動向外發表研發成果，研發完全是爲了客戶。

陳清龍玩起桌上筆記型電腦的藍芽系統，不用接線就能在辦公室裡

「ICQ」。對於新一代無線傳輸規格的相關產品，「其實我們早就準備好了，只是外界還不知道而已，」陳清龍說。另外像是將光轉為電的高速連接器（GBIC），也早已陸續出貨。賽波斯廠正是鴻海做研發的最前線。

在電子元件之中，能夠在不同元件間傳輸信號或電力的，都是連接器的一種。像是記憶體之間的連接器、開關系統的連接器，以及英特爾中央微處理器和主機板連接的基座等。

「當高速電腦已成主流，連接器角色會更重要，」鴻海美國連接器行銷主管鄭禮明指出未來的方向。這在技術上也是一大挑戰。像是超細微同軸電纜，導線比頭髮還要細，專門用在大型主機系統和次系統的傳輸。此外，根據鴻海的研發人員表示，光是開連接器的模子，就是一門大學問，若是結構不對，就會影響傳輸效果。

## 把連接器做到藝術品的境界

面對全球激烈的競爭，鴻海要如何維持在連接器上的領先優勢？「一定要有新產品，」陳清龍認爲，鴻海要維持連接器霸主地位並不難，眞正的挑戰在於如何大規摸投資在研發上。他舉例，像新產品開發不可少的檢驗設備，一部二十萬美元的電子顯微鏡，可以放大三十萬倍，爲的就是看連接器上鍍膜的分子排列。此外，甚至還有「風洞」實驗來檢測散熱片，做零組件的散熱實驗。

從賽波斯的研究精神，可以驗證鴻海企業集團總裁郭台銘的「999」哲學。所謂「999」，就是要精確、再精確，像黃金的最高純度一樣。「有一天，我要把連接器做到藝術品的境界！」陳清龍誓言。在南加州的賽波斯，可以感受到鴻海低調專注研究、不停提升自我的力量。

## 布局四：美國北加州

# 光機電照亮矽谷

鴻海在高科技重鎮美國北加州設置光機電研發中心和生產線，就是要搶先布局，以期在光機電系統整合上能佔有一席之地。

一塊單價高達三千美元的網路系統板（Networking System Board），正從輸送帶上通過X光掃描部分，檢查錫膏塗抹的狀況，以便讓板子上的主、被動通訊元件線路圖，可以完美無缺。

在這塊板子對面負責生產的，是彼得．彭（Peter Pong）博士，因為這不是條普通的SMT（表面黏著技術）生產線，而是相當先進的「光機電生產線」，屬於寬頻時代的新製造方法。

「光機電」這個名詞，在二〇〇〇年五月三十一日鴻海召開股東

（黃大川攝）

■光機電生產線是鴻海高科技重地。

會後，開始熱門起來。郭台銘證實，鴻海已將「光子」與「電子」整合在一起，而且進入生產階段。

## 和客戶一起做研發

鴻海在全球高科技重鎮的北加州布局，和客戶一起做研發，以達到快速上市的目的：一九九八年在聖塔克拉拉（Santa Clara）設「機殼研發中心」，以快速通過思科等大客戶認證。有了「機」之後，接著在聖荷西（San Jose）有了屬於「電子」的測試及設計中心，二〇〇〇年在佛里蒙又設了

「光」的實驗室。

未來寬頻網路的光纖時代，光電如何轉換和整合，將考驗新一代零組件供應者，彼得．彭指出：「通訊板子非常厚，我們必須把很多元件用壓的，而非用焊接式的！」

目前鴻海整個光機電團隊最大的任務，還是和客戶一起開發樣品、累積更多經驗。像一塊網路系統板上可接三十二條傳輸口（ports）、放九個ＢＧＡ（閘球陣列封裝），最後，完成一部光纖的網路交換機的成品價，高達十五萬美元！而二〇〇〇年才加入鴻海ＦＯＴＩ（FOXCONN Optical Technology Inc.）團隊的蒯光才博士，曾經待過阿卡特爾、北電等公司，他指出，「未來鴻海將在大都會級光機電系統整合佔有一席之地！」

## 鴻海技術最領先之處

而在矽谷另外一邊的佛里蒙，和光機電生產線呈現不同的景象：在每個實驗室裡，博士級的研究人員安靜地做著實驗，從光的被動元件到主動元件。在DWDM（Dense Wavelengh Division Multiplexer，高密度波長多工器）技術上，鴻海已有「50G」（GHz）的技術。走進無塵室裡參觀，在濾光鏡上，鴻海的技師可以耐心地在玻璃上鍍超過兩百層的薄膜。

北加州其實是鴻海集團技術最領先的地方，一位最近開始派駐北加州的處長也指出，矽谷地很貴、時間更貴，「如何和客戶做好共同設計，是鴻海在矽谷最大的任務和挑戰！」

# 第九章
# 進軍歐洲的心臟

不景氣時代，
一千大新盟主鴻海如何快速全球布局，
逆勢成長，飛躍崛起？
郭台銘最擔心的競爭對手又是誰？

張殿文

布拉格的春天，今年早得出乎意料。

二〇〇二年四月十八日，鴻海集團捷克廠落成典禮，捷克的少女們合唱精心練習的台灣原住民「馬蘭情歌」，手中拿著剛經過寒冬、象徵春天的黃色NARCIS（水仙花的一種），獻給台灣第一大民營製造公司鴻海集團董事長郭台銘。

營業額一千四百億，全球員工超過五萬人，鴻海當然不只經過一個寒冬，而是奮鬥了二十八年，才在遠離台灣一萬一千公里的歐洲開花。兩年內建立兩千人員工規模的帕杜比薩（Pardubice）廠房，一直到晚上十一點還是燈火通明，日夜把產品運到歐盟市場。捷克財政部長Jiri Rusnok激動地說：「鴻海對我們如此重要，因爲他讓我們看見什麼是積極且有效率的做生意方法！」

## 經濟就是實力

經濟就是實力，它超越政治，也是全世界感受台灣的方式。

特別是最近六年，鴻海衝刺快速。一九九五年鴻海集團營業額首度突破一百億台幣；九九年，營收破五百億，二〇〇〇年九百二十億，到二〇〇一年以一千四百四十二億營收，成爲一千大民營企業龍頭，二〇〇二年的目標爲兩千億。鴻海的衝刺，近三年等於每年都爲台灣創造一家前五十大的企業。

鴻海能快速稱霸的關鍵到底爲何？

清晨五點，穿著灰色風衣的郭台銘，坐在法蘭克福機場轉往布拉格的候機室裡侃侃而談。他說，他只是一只地瓜，長在森林裡，被別人發現長得很大了，都來爭相觀看，結果踩壞了附近的農田，還要怪到地瓜的頭上。

但是這個「地瓜生根」的策略，卻讓鴻海在全球產業重新分工、結構重新激烈調整之際，能夠深耕布局，做到「一地研發、三區

（亞、歐、美洲）製造、全球交貨」。

在二〇〇二年四月份新「惠普—康柏」所公布的全球一百五十名高階經理人中，負責全球供應鏈的資深副總裁Ed Pensel面對鴻海捷克廠的啓動就指出：「我們（惠普—康柏）在捷克沒有工廠，但這些人都是我們的員工！」

歐洲市場佔美國大廠約四成的營業額，鴻海要稱霸全球，一定要進軍歐洲。通往布拉格舊城廣城的石頭路上，春天的腳步，曾跟隨著音樂神童莫札特的「費加洛婚禮」、卡夫卡的存在主義，及一九六八年的蘇聯坦克履帶，現在郭台銘走過的巴洛克建築窗台，則多了NOKIA的看板，和DKNY的旗幟。

掌握產業分工的新趨勢，幫助大廠在全球出貨，鴻海完成了三大洲的布局。鴻海目前全球的PC準系統（Barebone，還沒放進記憶體等的PC半成品）出貨量約三千萬台，等於全球每五台PC，就有一台來自鴻海的全球工廠。

不經營品牌，鴻海和知名品牌一起在全球併肩賽跑，靠的又是什麼樣的競爭力？

## 交期準、品質好、成本低

在布拉格機場的禮遇通關貴賓室裡，郭台銘談到了他的觀察：目前全球景氣其實沒有恢復，只是在結構性的調整，全球大廠積極轉型，把製造的一端，外包給最有效率的電子專業製造服務（EMS）。

如果說台積電創造了以半導體製程爲主、晶圓代工（Foundry）製造的新產業運作模式而躋身全球；那麼鴻海的CMM（Component Module Move）快速製造模式，則讓全球數百億美元的EMS市場，產生了顚覆性的變化。

從「自製零件、零件模組化、快速物流」的組裝，再加上e化的資訊流連結全球客户，鴻海用CMM做到「交期準、品質好、成本低」的境界，這是鴻海快速掌握市場的能力。從另一個角度來看CMM，鴻海緊握住上游關鍵零組件的技術，再往下游垂直整合，比從下往上，更有大量生產的能力。

但未來，鴻海台灣第一大民營龍頭的位子可以坐多久？

在微蕩的伏爾塔瓦河舉行春之饗宴，郭台銘率領三十多名各國籍的捷克廠幹部遊河，穿越查爾斯橋從甲板上遠眺一千扇窗户的布拉格皇宮。五十二歲的郭台銘充滿豪氣地對記者表示，他的下一個目標是兩百億美元，也就是七千億台幣。這是一千大新霸主的正式宣示。以下是專訪摘要：

**問**：鴻海首度超越台灣高科技龍頭台積電，董事長怎麼看？

**要成功地做到「Made by Taiwan」、全球化布局，我認為「當地化」是重要關鍵。**

**答**：媒體最近老喜歡拿我們和台積電比，其實，我們就像是一顆深山裡的地瓜，蘋果和地瓜是不能比的。而張忠謀先生是我敬重的長輩，他回來台灣第一次演講，我就跑去聽了。但是我相信，高毛利率時代將要過去，靠自己實力、優勝劣敗的情況會更加明顯。

**問**：鴻海和台積電都是全球布局的成功企業，你認爲要做到成功的「Made by Taiwan」（ＭＢＴ），關鍵爲何？

## 當地化是全球化的重要關鍵

**答**：首先，台灣企業一定要有走出去的決心，不走出去就沒有全球競爭力。但是在我看來，走出去還是會有九〇％陣亡，而剩下一〇％生存下來的，要成功地做到ＭＢＴ、全球化布局，我認爲「當地化」是重要關鍵。

**問**：「當地化」指的是什麼？

**答**：許多人以爲丟大錢、在當地蓋廠、找人，就是當地化。以歐洲爲例，許多大廠以一種「美式早餐」的做法，以爲用幾種蛋的做法和火腿、培根重新組合，再移植就可以了。

這種做法在歐洲其實是行不通的，眞正的「當地化」是要帶技術和管理來教導當地人民，從培養當地幹部做起，再結合當地典雅細緻的文明水準。

**問**：台灣也有許多公司在歐、美設廠，但鴻海快速量產成功，最主要關鍵爲何？

## 企業要長期投資發展人才

**答**：大家都沒有看見我們全球化的布局和野心。我們從一九九六年進軍蘇格蘭廠以來，就把一百名年輕人，從蘇格蘭送到大陸去受訓，我們叫做「蘇幹班」。但我並沒有在蘇格蘭買地，因爲我知道未

> 有些EMS大廠以購併方式成長，
> 但購併後的磨合階段都是成本耗損，
> 而管理成本正是電子專業代工的決勝關鍵。

來還要進軍歐洲本土，一直到二〇〇〇年時，美國大廠委外製造成熟，我才進軍中歐。

在捷克，有德國人的模具水準，卻不用付德國水準的薪水。我也快速成立「捷幹班」，未來九九%的幹部，都會是捷克人。我相信，長期投資和發展人才，才是台灣要布局全球的關鍵。

**問**：全球EMS大廠也布局歐洲，你會是他們對手嗎？

**答**：除了我剛才提到的「美式早餐」，另外一方面，他們都是用購併的方式成長。

比如說，X代工廠向原有Y品牌大買廠房，就是要Y品牌承諾未來把訂單給他們做。所以，X當初買下的廠房，並不像我們是全力經營這個廠的生存和未來市場規劃，而且更重要的是，購併後帶來的磨合階段，都是成本損耗。而管理成本正是我們電子專業代工的決勝關鍵。

（黃大川攝）
■這支捷克少女合唱團是鴻海贊助的當地團體，現場演唱台灣原住民旋律「馬蘭姑娘」，讓郭台銘以及來自台灣的來賓相當窩心。

## CEO的「六選」

**問**：一九九六年時你們規模並沒有這麼大，爲何敢全球布局？

**答**：MBT並不是大企業的專利，台灣中小企業一樣有機會。

問題在於策略，也就是「方向、時機和程度」，這三個因素都要考慮，中小企業更要有全球的策略。

**問**：鴻海也是從一九九六年開始快速成長，其中的關鍵及布局爲何？

**答**：我常說CEO的工作在「六選」：選客戶、選技術、選產品、選人

（黃大川攝）

■手中拿著春花，康柏資深副總裁 Ed Pensel（右）、捷克財政部長 Jiri Rusnok（中）和郭台銘合力打造「當地化」。

才、選股東、選策略夥伴。鴻海坐大最關鍵的一步是「選客戶」，我們把所有資源都放在服務我們選擇的客戶，而我們的判斷正確，今天這些客戶都是世界級公司，我們也從他們身上學到很多。

另外，是大量人才。我還記得一九九六年開始，每年挑選一百名年輕人來訓練成幹部，也就是士幹班，這些人才都正好支援我們的成長。

## 成長的關卡

**問**：全球高科技公司如ＩＣ設計等，營業額達到十億美元後，就有成長不易、所謂的「天險」，就「製造業」而言，未來鴻海還能大幅成長嗎？

**答**：鴻海「天險」大約在兩百億美元。

**問**：兩百億美元約七千億台幣，爲什麼會是這個數字？

**答**：我觀察高科技公司的成長，從一億美元、五億美元、十億美元、五十億美元、一百億美元到兩百億美元，都是關卡。二〇〇一年鴻海已站上五十億美元大關，一百億好像也開始有了一點輪廓，但是兩百我還沒有把握。

**問**：原因是？

**答**：一方面，兩百億美元也是目前歐美科技大廠的主要瓶頸；另

「打官司」是高科技公司的象徵。
要不是因為市場大餅和有價值的技術，
誰要和你打官司？

一方面，五、六年後我準備退休，這時要全力衝刺，相當不易。

**問**：爲何不完成七千億目標再退休？

**答**：讓後繼者來完成，不是更有成就感？二〇〇二年股東會之前，我們會有新一波的人事改組，數個事業群的總經理會浮現，這也是攸關鴻海未來接班的重要改組。

## 用外國人的遊戲規則打仗

**問**：鴻海擁有全球最先進的連接器量產能力，許多業界人士認爲你對市場呼風喚雨、掌握市場，連出貨給客戶都要求先開信用狀，你怎麼看？

**答**：這是要防範他們超額下單、囤積產品的措施。當初英特爾找了三家有能力的連接器供應商，分別供應全球四〇%、四〇%、二〇%的連接器市場，但是只有鴻海準時在全球量產，其他兩家都跟不上市場腳步。

P4熱賣，全球開始缺貨，大家都來向鴻海訂貨，而且在恐慌心理之下，每一家都超額預訂。如果鴻海照他們的訂單來出貨，假設原本鴻海只有五百萬套的出貨能力，突然要變成一千五百萬套，於是加倍資本投資，結果景氣恢復正常，鴻海不是反而賠錢？

就像不能因為某一天有一千輛車子經過，就花錢拓寬馬路。外界常常用最嚴苛的眼光看鴻海，對於一些花納稅人的錢扶持的企業反而不去監督，這是我最想不通的事。

**問**：鴻海告美國泰科（Tyco）公司侵權的官司現在進度如何？

**答**：「打官司」是高科技公司的象徵。經過這一年，大家都看到台灣公司有能力和國外大廠交手。要不是因為市場大餅和有價值的技術，誰要和你打官司呢？從另一個角度看，鴻海也是一路被全球大廠打大的。現在我只是用外國人的遊戲規則打這場戰爭，戰爭既然開

從前比的是土地、關係等資源，
但現在這場「資源」的競爭，
比的是人才、技術和時間。

啓，就不會輕易停止。

## 高科技，高風險

**問**：今年（二〇〇二年）初，你宣示「高科技鴻海」。鴻海跨入「高科技」的風險爲何？

**答**：所謂高科技就是高風險，但是別忘記，我們是走量產製造起家，有量產的能力和技術。在克服高科技能不能量產、以較低成本進入市場時，至少讓我們少了一半的風險。

**問**：你如何看待未來的產業競爭？

**答**：從前比的是土地、關係等資源。但現在這場「資源」的競爭，比的是人才、技術和時間。從資源取得、運用到分配，和過去完全不同，所以，我幾乎不會把自己的資源放在參與政治。

**問**：爲什麼在二〇〇一年景氣最差的時候，鴻海還能在營收上有近五〇%的成長？未來要如何繼續成長？

**答**：鴻海未來繼續成長，我只看三個條件。一、產品市場夠不夠大？以目前電子代工市場的數百億大餅來看，答案是肯定的。二、這種市場只是一時熱潮、還是一種趨勢？以電子專業製造（CEM）來說，美國已走委外代工，我們現在就等日本這塊大餅。三、我的結構性布局強度，夠不夠支撐這樣的成長？像捷克是未來歐洲總部，就可以支持歐洲市場成長。而景氣不好時，正是我用成本結構、品質及彈性速度優勢，積極搶別人訂單的時候。

**問**：身爲製造業的龍頭，鴻海現在也有大量設備投資的「產能利用率」壓力。景氣如果遲遲不回，鴻海的策略如何？

**答**：我會繼續搶別人訂單。

**問**：身爲一千大龍頭，特別是你在全球有IT界頂尖的人際網路、第一線下單資訊，你如何看待景氣？

任何把事情做到完美的境界，我認為都是一種藝術。
而「製造」是要「連續」把事情都做到最好，
這比一般的完美更多了辛苦的過程。

## 事情做到完美就是藝術

**答**：景氣眞的有回來過嗎？當初張忠謀所說的「那隻燕子」，證明是電動玩具X-Box中，繪圖晶片商nVidia的訂單而已。我認爲會有很久一段時間，景氣上下震盪。

而另一方面，容易賺錢的時代已經過去了。坦白說，我並不看好許多毛利率高的IC設計公司，他們的下游廠商利潤微乎其微，會讓他們賺這麼多嗎？

**問**：製造是一種「藝術」嗎？

**答**：任何把事情做到完美的境界，我認爲都是一種藝術。而「製造」是要「連續」把事情都做到最好，這比一般的完美更多了辛苦的過程。我們正是因爲經歷過這些辛苦的歷程，所以景氣不好時，我們更有利。

**問**：鴻海未來有沒有什麼危機？

**答**：每一家企業都有危機，許多公司的老闆也都可以看到自己的危機。但關鍵的問題是，有沒有能力處理危機。

我舉一個例子，像戴爾電腦的崛起，康柏早就看到了自己利用傳統經銷模式的危機，但是康柏執行長如果要改變，要得罪多少經銷商？加上他們的股權又分散，執行長只能眼看危機發生。從這個角度來看，鴻海當然有自己的一些危機，但是我可以說，鴻海是一家有能力處理危機的公司。

## 來自台塑的威脅

**問**：這種處理危機的能力是如何養成的？

**答**：老實說，改變是一種風險，但鴻海這一路走來，每隔兩、三年就做一次改變，從最早的電視機旋鈕，到各種連接器、機殼、光通訊等，每一次改變都是賭注，但這種轉變能力經過風險，讓鴻海每一位主管被迫學新的東西。

因爲如果不讓主管保持學習能力及充分的機動性，只讓他們的下屬做改變，久而久之，整個組織都僵化了。這也是許多過去走得很順的企業，不易眞正改變的原因。

**問**：未來最能威脅你龍頭地位的，會是哪一家公司？

**答**：我不認爲會是台積電，而是台塑。石化公司本來就有規模的優勢，因爲油品市場開放，台塑跨足加油站經營後，我覺得未來的威脅性較大。

## 為什麼選捷克？

離布拉格約兩小時車程的帕杜比薩鎮（Pardubice），在十六世紀逃過黑死病的侵襲。二〇〇二年初，全球總部設在台北土城的鴻海集團在一萬公里之外，通過美國康柏集團「九五五」標準：九五％訂單在五天內出貨。過去八個月間，從這裡發貨一百萬台個人電腦，進攻整個歐洲市場，寫下台灣產業史全球布局的新頁。

### 幫助捷克轉型

歐盟是全球最大的單一市場，兵家必爭，鴻海選擇捷克的原因在於：第一，位居歐陸中樞的內陸國家，讓運輸完善；第二，人力水準高，且俄文、英文、德文、法文人才充沛，方便進軍歐盟；第三，招商積極，捷克允諾十年免稅。

捷克曾是華沙公約國中，最大的武器供應國，現在要從軍火業轉型

■列名古堡百科全書的郭台銘私人古堡羅茲泰茲（Roztez）。

高科技，完全靠此一戰。鴻海的廠區原是專門供應蘇聯雷達的工廠，在全盛時期曾有五千人之多，但是，鴻海接收時只剩下四百人。鴻海接收許多廠區，等於是幫捷克解決轉型問題。

另外，捷克完全沒有大型電子產業製造經驗，也沒有和美國大廠合作的經驗。希望借助與鴻海的合作幫國家轉型。

## 國與國的戰爭

而鴻海也承諾捷克政府會長期投資：第一期投資了五千萬美元，

開始建立垂直整合基地。未來還會投資三至五億美元，建立無線通訊研發基地。

帕德比薩廠最大產能六百萬台，二〇〇二年產值十億美元，將幫捷克創造一個前十大企業。鴻海五十多名幹部中除了台幹，就是從蘇格蘭廠調來的人。而蘇格蘭人對此感觸最深。一名蘇格蘭幹部就私底下表示：「捷克廠的人愈來愈多，就代表我們蘇格蘭的規模將愈來愈小！」

這不但是公司與公司的競爭，更是國與國的戰爭。

不過鴻海也有三個挑戰：一是捷克人民細心雅緻，有責任感，但卻沒有全球ＩＴ競爭出貨的觀念。鴻海的幹部必須不厭其煩地教導，兩者都必須調整。

## 探索台灣企業新境界

第二，更困難的是，歐盟是分割極細的市場，二十多國不同的文化和語言，等於二十多個市場。根據鴻海內部計算，五十台以下的電腦訂單，佔八〇%。一台電腦的零組件超過上百種，鴻海之所以克服這種困難，主要是郭台銘快速度建立六百人的IT部隊。

第三個挑戰在於未來拓展歐洲客户。在美國夥伴的支持下，鴻海迅速進軍歐洲心臟，但未來終究要直接面對歐洲客户。無論如何，鴻海已踏出了歷史性一步，誠如鴻海大歐洲區法務經理、擁有紐約大學公司法碩士學位的方光宇所言：「我們正在探索台灣企業在全球市場中，從未達到的境界。」

# 第十章 外資看鴻海

台灣高科技上市公司中，外資持股比例最高的，不是台積電，也不是威盛，而是鴻海精密。鴻海究竟有怎樣的魅力，在台股低迷的氣氛中，還能讓外資趨之若鶩？

張殿文

目前台灣上市高科技公司中，外資持股比例最高的是哪一家？

答案不是台積電，也不是威盛，而是鴻海精密。根據台灣證券交易所二〇〇一年七月二十日的資料，鴻海的外資持股比例是三一．四二%，在電子股中名列第一。

光從二〇〇一年五月到七月，短短三個月之間，就有十一家外資專業投資機構出版對鴻海精密的研究報告，其中高達八家推薦「買進」或「長期買進」，其餘三家也評鑑爲「表現優於大盤」。

在瞬息萬變的台灣股市裡，外資的進出標的，一向是散戶追隨的投資指標。在許多散戶眼中，除了外資機構的分析客觀外，最主要的還是全球化的投資訊息和觀點。

根據台灣證券交易所七月二十日的資料，二〇〇一年所有上市電子股中，只有六家的外資持股超過二〇%；而鴻海不但是電子股中外資的「最愛」，持股比例也領先了高科技指標股台積電三．三九個百分點。

## 「委外概念股」首選

二〇〇一年元月份起，台股開始狂跌，但外資當時一路大買鴻海一萬六千張股票，將鴻海股價硬是拉上來，維持在兩百元價位以上。

外資選鴻海，反過來看，鴻海精密董事長郭台銘前幾年也喊出要「挑選股東」。按照郭台銘的想法，國內很多投機散戶只想操作短線，這些都不是支持鴻海成長的力量；而反觀在鴻海一上市就持有股份的外資，現在已證明是鴻海重視長期發展策略下的最大贏家。

「我們不能透露原始的外資持股是哪幾家，但他們都留在那裡，現在獲利應該有五十倍上下了吧，」鴻海發言人、也是負責投資人關係（**IR, Investor Relations**）的丁祈安指出。他認爲，外資長期持有鴻海，最重要的原因是肯定公司的發展策略和定位，而這些年來公司也沒有讓投資人失望過。

他進一步分析，外資在鴻海上市後的投資，主要也可以分成三階段，讓鴻海的籌碼更加穩定：第一階段是一九九一年上市後到跨入準系統，鴻海的營收和獲利率都大幅成長；第二階段是在一九九一年發行GDR（全球存託憑證）後，打開國際知名度；第三階段則是目前全球景氣低迷，在大廠降低成本的考量下，專業代工、又具有製造成本優勢的鴻海，便成爲「委外概念股」的首選。

「路遙知馬力！」郭台銘在二〇〇一年六月鴻海的股東大會上強調。

## 以「放心」吸引外資持股

但每家高科技上市公司都聲稱有一套策略，爲什麼鴻海可以吸引這麼多外資持股？「簡單兩個字：讓投資人「放心」而已。這麼多年

（黃大川攝）

■鴻海二〇〇一年股東會上不送股東紀念品，卻有股東獻花給郭台銘，感謝他替股東賺錢的辛勞。

過去，證明我們經營的十字箴言：『長期、穩定、國際、科技、發展』讓人放心，」郭台銘強調。

二〇〇一年的股東會上，鴻海就沒有送股東紀念品。台灣有許多小股東喜歡領紀念品，鴻海這麼做，難道沒有人抱怨？「這證明了鴻海沒有亂花一毛不該花的錢！」現場一位投資人就如此稱許。

綜合外資分析師們推薦鴻海的原因，大概有三個主要考量關鍵：一是成本優勢，二是布局完整，三是作風穩健。

以低成本爲優勢的競爭策略中，鴻海是領先者。摩根士丹利添惠（Morgan Stanley Dean Witter）二〇〇一年七月的分析報告中，就以「成本領先者持續贏得市佔率（The cost leader continues to gain shares）」來解讀鴻海。

瑞士信貸第一波士頓亞洲科技研究部硬體及零件首席分析師楊應超則認爲，鴻海長期下來布局完整，有深度、有廣度，因此是外資第一的選擇。

作風穩健，也是外資加碼鴻海的原因。「艱難時刻，硬漢仍直行（When the going gets tough, the tough get going）。」這是所羅門美邦（Solomon Smith Barney）在二〇〇一年初的分析報告中，對鴻海的評價。這句英文諺語，正好與郭台銘在二〇〇一年股東會上「疾風練勁旅」的說法不謀而合。

## 強渡不景氣關山

外資對鴻海能強渡當前不景氣關山的信任，來自過去穩健的績效紀錄。事實上，鴻海過去十年來的營收複合成長率高達五一%；獲利複合成長率則高達四三%。

就股價來說，綜合外資分析師的看法，推估合理價位在兩百一十元到兩百四十元之間。這個推估來自兩個前提：一是鴻海的每股盈餘可以維持在七～八元水準，二是外資對這類高成長（每年獲利成長率三〇%以上）公司合理本益比爲三十倍計算（股價等於每股盈餘與本益比相乘）。

當然，鴻海也面臨當前大環境的挑戰。進入了所謂「後PC時代」，許多公司的成長開始減緩，台灣許多做主機板、筆記型電腦的廠商，從二〇〇一年以來市值都大幅滑落，有的甚至跌掉了一半。

二〇〇〇年被華爾街一致看好的通訊類股，也開始哀鴻遍野。二〇〇一年年中，全球手機大廠包括摩托羅拉、諾基亞、易利信等，都紛紛發表銷售及獲利不如預期的警訊。

爲大廠代工的相關台灣廠商，如果無法降低成本優勢、掌握大廠持續委外的大趨勢，要維持過去每年三至四成的成長率，幾乎是「不可能的任務」。

## 抓對趨勢，勇於投入

同樣面臨轉型，許多外資分析師認爲，相較之下，鴻海的郭台銘似乎很能抓住市場趨勢。從二〇〇〇年宣布進軍光通訊的「鳳凰計劃」，到他獨創的「CMM」模式，一位外資分析師觀察，競爭對手就算了解鴻海的策略，也很難跟上，因爲鴻海早就提前投資、布局。

「要抓對趨勢，勇於投入，才能立於不敗之地。」郭台銘這句話讓很多聽過他分析產業競爭態勢的分析師，留下深刻的印象。

也是因爲如此，鴻海的股性似乎也和全球不景氣及過去「中國概念股」的刻板印象，愈來愈脫節。

同時，根據許多外資券商的分析報告，對鴻海青睞的「基本面」原因，還包括了對最高經營者郭台銘策略格局的信任，以及他所領導之經營團隊的執行效率。

不過，對想要追求短期利潤、甚至喜歡做短線的投機客來說，鴻海也許不是合適操作的股票。郭台銘曾再三強調，他重視的是長期、穩定的發展；如果沒有這些同樣信念的投資人，最好記住他每年在股東會上的直言不諱：「鴻海不需要這樣的股東！」

## 讓數字說話

機構投資者另一個選股時的考量，就是企業「透明化」的程度。

例如，很多投資機構爲了撰寫研究報告，常要求鴻海透露公司的接單狀況；但一些分析師在拿不到這樣的資料時，常質疑鴻海不夠透明。針對這一點，丁祈安指出，這也許是國內的慣例，卻是國際上「依法非屬揭露」的業務資料，鴻海會守著這條防線。

但也有分析師認爲，鴻海給的是白紙黑字的「經營績效」，這遠比會說「投資故事」更禁得起考驗。

「一切就讓數字說話吧，」郭台銘的這句話，值得投資人深思。

# 後記
# 站在製造業大亨的肩膀上

張殿文

一九九九年《天下》雜誌記者吳琬瑜和盧智芳用「在我的領域，沒有競爭對手」來介紹鴻海。當時，鴻海董事長郭台銘指出，機殼和連接器都是別人不要做的東西，但鴻海把它做成了一項產業。

現在來看這段對話，當時他其實已預見了PC連接器、機殼等零組件結合後展現的爆發力。只是他可能沒想到，台灣五十年來最差的景氣突如其來，讓鴻海迅速超越台灣其他的三十多萬家公司。

一九九九年底，我開始擔任科技記者的第一年，當時直屬長官告訴我：「你要是能採訪到郭台銘，算你厲害。」前半年我工作之餘蒐集郭台銘的資料，二〇〇〇年六月鴻海的股東會從八點開始，我一直等到下午五點所有媒體記者都離開之後，帶著一名攝影記者，直闖鴻海董辦室。

最驚險的，當然還是二〇〇〇年十二月，我前往珠江流域左岸的城市深圳，試圖一舉窺探鴻海的最大生產基地龍華廠。在「線民」的帶路之下，攝影記者帶著只有巴掌大的間諜相機。記得那時心裡還盤算著，萬一被抓到了，我到底要如何處理、如何應付，才是最佳方式。幸運的是，我們拍到媒體第一張鴻海大陸生產基地的照片。

這也是最後的一張照片了。隔年的尾牙上，鴻海集團董事長特助戴豐樹告訴我，那些拍攝角度都一一被「尋獲」、並且都封起來了。

二〇〇一年夏天，我則坐在橫越大西洋的飛機上，成為第一位採訪鴻海美國基地的記者。懷著凌雲壯志，五天內飛行美國西、中部的四個城市，扣去三天在飛機上（一位比郭台銘還會省錢、還「刀子口、豆腐心」的祕書排出的行程），一下飛機的一小時內就要面對一連串訪談、參觀，採訪時都還覺得兩腳在半空中。我和攝影記者黃大川自我解嘲：就當是體會現在的科技首富郭台銘當初隻身跑美國拉業務的心情。

## 做一位旁觀者

美國小說家費茲傑羅的作品《大亨小傳》中，描寫了新大陸二〇年代紐約最傳奇致富的一位大亨Gatsby，所有人不需要被要邀請，就可以從曼哈頓來長島參加大亨的豪華派對，並到處打聽大亨的來歷、散布主人的謠言。而我們則像小說裡大亨的鄰居尼克，從頭到尾做一個旁觀者：見證台灣第一大製造業如何布局、運作，而且試圖拼湊過去十多年來，郭台銘走過的道路。

美國之旅，我們見聞了郭台銘不只是美國市場一草一木的「拓荒」大亨。十多年前，比郭台銘英文好、技術背景佳、經濟環境優的大有人在，但他比別人更多克服困難的勇氣，實現自己的理想。

也因此，我開始慢慢咀嚼「郭台銘式的幽默」。比如我問他，某某人說你今天會成功，是因為他那時的協助，他只淡然回答：「每一隻公雞，都以為太陽是牠叫出來的！」如果郭台銘願意的話，他會是一位最幽默的人。因為在他成功的過程中，面對最多的，就是「人性」，也忍受、克服了太多人性。但，這些辛酸已不復存在，再勤勞的記者，也只能看見他全球布建的帝國。

## 對抗以窺探夢想

即使如此，面對媒體他還是常表露出敏感的一面。幾次我都要忍受郭台銘在採訪開頭就說：「我實在不應該答應接受你的採訪！」而媒體間早就傳說，郭台銘為每一位記者打分數。我的確見過有那樣一本厚厚的剪貼薄存在：密密麻麻關於鴻海的新聞，上面有紅筆眉批，但我不確定是不是郭台銘做的記號，只見他很熟練地翻到有記號的那一頁報導上，指明其中的錯誤。

我們必須和他的敏感和要求完美「對抗」，才能窺探他更多的夢想。

也是在這種「對抗」過程中，今年（二〇〇二年）四月我搭上飛往捷克的飛機，跑完三大洲，見證了「一地研發、三地製造、全球出貨」的盛況。就像這本書的出版絕不是偶然，除了我之外，包括三年來天下雜誌群吳琬瑜、張戌誼、盧智芳等資深記者和郭台銘精采的對話，畢竟採訪郭台銘、質疑郭台銘以及傳達出真正的郭台銘，並不容易，卻是記者的天職。

感謝讀者。我總是想像那些渴望多一點了解的讀者們，站在我的後面，給我無比勇氣。我們也站在製造業大亨的肩膀上，看見了產業的趨勢、希望和未來。

感謝那些讓我們放手一搏的長官的信任、支持和包容，還有曾經合作過的攝影記者，一起分享未知的壓力和挑戰。特別感謝《e天下》兩位攝影記者邱如仁、黃大川犧牲週末、清晨四點輪流陪我守候，拍出第一張郭台銘走出工廠的照片。

從捷克回來的十多小時中，當別家媒體主管坐在商務艙點餐時，我坐在擁擠的經濟艙中敲著胸前筆記型電腦微亮的鍵盤，《大亨小傳》裡尼克對大亨說的最後一句對白突然跑到我的腦海：「You're better than all of them!」

# 附錄　文章來源

奮力飛行的孤雁：二〇〇一年八月號e天下雜誌／餓的人，腦筋特別清楚：二〇〇一年八月號e天下雜誌／在我的領域，沒有競爭對手：一九九九年八月號天下雜誌／悍鬥鴻海霸圖：一九九九年九月號天下雜誌／小零件攻第一：一九九七年天下雜誌特刊第二十六期／軍事化管理打贏商場硬仗：二〇〇一年十月號天下雜誌／要做就做世界級：二〇〇一年八月號e天下雜誌／在全球與客戶共舞：二〇〇一年八月號e天下雜誌／進軍歐洲的心臟：二〇〇二年四月天下雜誌特刊第三十六期／外資看鴻海：二〇〇一年八月號e天下雜誌

# 天下雜誌圖書目錄

| 書號 | 書名 | 作者／譯者 | 定價 |
|---|---|---|---|
| 天下財經系列 | | | |
| CF0001 | *i*O聯網組織——知識經濟的經營之道 | 施振榮 | 380 |
| CF0002 | 非常競爭優勢——知識創業十四步驟 | 約翰·納斯漢／李秋湄 | 500 |
| CF0003 | 膽大包天——安泰百變CEO潘燊昌傳奇 | 徐子婷 | 300 |
| CF0004 | WTO與兩岸競合 | 李明軒等 | 260 |
| CF0005 | 勇渡失業潮 | 楊瑪利等 | 240 |
| CF0006 | Vision & Mission——挑戰新經濟 | 吳迎春等 | 220 |
| CF0007 | 看不見的新大陸——知識經濟的四大策略 | 大前研一／王德玲、蔣雪芬 | 380 |
| CF0008 | CEO變法　企業復活 | 金玉梅等 | 260 |
| CF0009 | 從台灣起飛——策略、佈局、競爭全球 | 吳迎春等 | 220 |
| CF0010 | 顧客是永遠的戀人——品牌經營與行銷 | 蔡蕙如、施逸筠等 | 180 |
| CF0011 | 活用波特的競爭策略 | 天下編輯 | 200 |
| CF0012 | 都是NASDAQ惹的禍？！ | 安東尼·柏金斯、麥可·柏金斯／齊若蘭 | 350 |
| CF0013 | 經理人生——羅益強玩全球企業的樂趣 | 刁曼蓬 | 300 |
| CF0014 | 葛洛夫自傳——橫渡生命湖 | 安德魯·葛洛夫／蕭富元 | 350 |
| CF0015 | 誰怕管理？克服管理的七大陷阱 | 奈吉爾·尼可森／蔣雪芬 | 300 |
| CF0016 | 競爭中國——金礦，還是錢坑？ | 天下編輯 | 220 |
| CF0017 | 杜拉克——管理的使命 | 彼得·杜拉克／李芳齡 | 500 |
| CF0018 | 杜拉克——管理的實務 | 彼得·杜拉克／李芳齡、余美貞 | 380 |
| CF0019 | 杜拉克——管理的責任 | 彼得·杜拉克／李田樹 | 360 |
| CF0020 | The Agenda：議題制勝 | 麥克·韓默／林偉仁 | 320 |
| CF0021 | 中國入世——你不知道的風險與危機 | 蘇帕猜、祈福德／江美滿 | 260 |
| CF0022 | 借鏡荷蘭 | 羅益強、史仕培、陳雅慧等 | 240 |
| 學習與教育系列 | | | |
| CE0001 | 從0歲開始 | 天下編輯 | 300 |
| CE0002 | 槍響之後——打造免於恐懼、樂在學習的校園 | 艾略特·艾倫森／張寧恩 | 220 |
| CE0003 | 網上學習——如何幫孩子成長向前 | 吳怡靜等 | 300 |
| CE0004 | Teaching，希望工程的藝術 | 詹姆斯·貝能、哈洛·凱農／陳文芩 | 220 |
| CE0005 | Learning，跳出井底看天下 | 詹姆斯·貝能、哈洛·凱農／賓靜蓀、王悅懌 | 280 |
| CE0006 | 中年以後 | 曾野綾子／姚巧梅 | 280 |
| CHEERS 系列 | | | |
| CW0001 | 別和成功擦肩而過 | 詹姆士·華道普等／邱如美 | 320 |
| CW0002 | 面試，如何脫穎而出 | 尼克·寇克戴洛司／胡慧馨 | 250 |
| CW0003 | 搶不走的優勢——兩岸人才大車拚 | CHEERS 編輯 | 240 |

| 書號 | 書名 | 作者／譯者 | 定價 |
|---|---|---|---|
| **健康人生系列** | | | |
| HH0001 | 失控的細胞 | 和信治癌中心醫院 | 150 |
| HH0002 | 女人與癌症 | 和信治癌中心醫院 | 150 |
| HH0003 | 肝病三部曲 | 和信治癌中心醫院 | 150 |
| HH0004 | 戰勝胃腸癌 | 和信治癌中心醫院 | 150 |
| HH0005 | 征服頭頸癌 | 和信治癌中心醫院 | 150 |
| HH0006 | 癌症告知的藝術 | 和信治癌中心醫院 | 150 |
| HH0007 | Mayo Clinic on Prostate Health——攝護腺 | 梅約醫學中心／張國燕 | 280 |
| HH0008 | Mayo Clinic on Arthritis——關節炎 | 梅約醫學中心／林智生 | 280 |
| HH0009 | 家庭營養師 | 台大醫院營養部 | 300 |
| HH0010 | 女人魅力50 | 茱迪·曼戴爾／馮克芸、賴皇伶 | 300 |
| HH0011 | Mayo Clinic on High Blood Pressure——高血壓 | 梅約醫學中心／張國燕 | 250 |
| HH0012 | Mayo Clinic on Chronic Pain——慢性疼痛 | 梅約醫學中心／林智生 | 250 |
| HH0013 | 工作，免壓力 | 康健雜誌記者 | 180 |
| HH0014 | 健康飲食新流行 | 康健雜誌記者 | 200 |
| HH0015 | 走出藍色幽谷 | 美國醫療協會／孫秀惠 | 240 |
| HH0016 | 最終的勝利——安頓生命的最後歸宿 | 湯馬斯·普瑞斯頓／施貞夙 | 200 |
| HH0017 | Mayo Clinic on Managing Diabetes——糖尿病 | 梅約醫學中心／王誠之 | 280 |
| HH0018 | Mayo Clinic on Healthy Weight——健康瘦身 | 梅約醫學中心／王誠之 | 280 |
| **醫學人文系列** | | | |
| HL0001 | 醫眼看人間——一位醫師作家的人生筆記 | 黃崑巖 | 260 |
| HL0002 | 你的醫生在想什麼？ | 伊恩·布魯默／賓靜蓀 | 250 |
| HL0003 | 走進名醫的世界——13位頂尖醫師的人生傳奇 | 陳玉梅 | 300 |
| HL0004 | 暫時停止心跳——開心英雄的故事 | 韋恩·米勒／項慧齡 | 340 |
| HL0005 | 走進名醫的世界 II | 康健編輯 | 240 |
| **康健叢書目錄** | | | |
| BH000101P | 青春不老策略 I | 美國《預防雜誌》／齊若蘭等 | 300 |
| BH000201P | 青春不老策略 II | 美國《預防雜誌》／齊若蘭等 | 300 |
| BH000701P | 愛與生存 | 歐寧胥／洪蘭 | 300 |
| BH000801P | CEO與健康有約 | 康健編輯 | 240 |
| BH000901P | 預約美麗人生 | 康健編輯 | 260 |
| BH001001P | 上班族聰明上菜 | 康健編輯 | 360 |

國家圖書館出版品預行編目資料

三千億傳奇：郭台銘的鴻海帝國／張戌誼、張殿文、盧智芳等著. -- 第一版. -- 臺北市：天下雜誌, 2002〔民91〕
面；　　公分.--（天下財經系列：23）

ISBN 957-0395-49-4（平裝）

1.郭台銘 - 傳記　2.鴻海精密工業公司　2.電子業 - 臺灣

484.6　　91004317

天下財經系列 023

# 三千億傳奇
# 郭台銘的鴻海帝國

作　　者／張戌誼、張殿文、盧智芳等 著
責任編輯／吳毓珍
封面設計／陳則恭
封面攝影／黃大川
封底攝影／邱如仁

發 行 人／殷允芃
出版總編輯兼總監／蕭富元
出 版 者／天下雜誌股份有限公司
地　　址／台北市104松江路87號4樓
讀者服務／ (02) 2662-0332
傳　　眞／ (02) 2662-6048
天下雜誌 GROUP 網址／http://www.cw.com.tw
劃撥帳號／0189500-1 天下雜誌股份有限公司
法律顧問／台英國際商務法律事務所 · 羅明通律師
電腦排版／中原造像股份有限公司
印刷製版／中原造像股份有限公司
裝 訂 廠／政春實業有限公司
總 經 銷／大和圖書有限公司　電話／ (02) 2988-6128
出版日期／2002年5月25日第一版第一次印行
　　　　　2002年7月15日第一版第五次印行
定　　價／240元
ISBN: 957-0395-49-4
書號：CF0023

**天下網路書店：http://www.cwbook.com.tw**